ÉRIC BEAUHARNOIS

LES POUVOIRS SECRETS DES

pyramides

Dépôt légal : 4e trimestre 2010
Bibliothèque et Archives nationales du Québec
Bibliothèque nationale du Canada

Graphisme : Katia Senay

© Éditions POP, 2010
© Les éditions Quebecor
Ce livre est basé sur l'ouvrage
précédemment publié chez les éditions Quebecor :
Éric Beauharnois. *Les pouvoirs secrets des pyramides*, Montréal, 2004.

Imprimé au Canada

ISBN : 978-2-89638-864-6

LES POUVOIRS
SECRETS
DES

pyræmides

LES ÉDITIONS

POP

Chapitre 1

HISTOIRE ET MYSTÈRES

Depuis toujours, la Grande Pyramide de Khéops, à Gizeh, a suscité admiration et interrogation. Nombreux sont ceux qui défendent l'idée qu'il s'agit d'une stèle funéraire, mais, si c'était le cas, on ne peut que se demander pourquoi on n'y a jamais trouvé ni symboles, ni emblèmes royaux, ni surtout une momie royale. Mais si elle n'est pas un monument funéraire, qu'est-elle donc ? Et d'abord, comment l'a-t-on bâtie ? Outre que sa conception ait exigé des connaissances mathématiques et astronomiques complexes, comment peut-on expliquer que les bâtisseurs de l'époque, qui ne disposaient que de techniques rudimentaires, aient réussi une telle construction et, qui plus est, dans une orientation quasi parfaite par rapport aux quatre points cardinaux ? Est-il possible que ce monument possède des pouvoirs surnaturels ?

On ne compte plus, depuis l'Antiquité, le nombre d'archéologues, d'astronomes, d'historiens, de théologiens et d'amateurs passionnés qui ont débattu de ces questions — et de bien d'autres qui y sont rattachées. Si les archéologues se sont intéressés et s'intéressent toujours à cette construction d'un strict point de vue historique, les autres chercheurs relèvent toutefois de trois écoles de pensée. La première, mais aussi la plus ancienne et la plus répandue, défend l'idée que la pyramide de Khéops représente un système universel de mesures et que ses dimensions mêmes immortalisent des archétypes d'unités de longueur, voire de temps. Certains tenants de cette école de pensée s'en sont toutefois dissociés au fil du temps pour fonder une autre école qui, elle, considère la pyramide comme un gigantesque cadran solaire et comme un observatoire astronomique. Une troisième école de pensée, plus audacieuse, est apparue au XXᵉ siècle. Selon cette dernière, la forme même de la pyramide serait à l'origine de propriétés physiques surnaturelles qui agiraient sur la matière; parmi les défenseurs de cette école de pensée, certains suggèrent en outre que seule l'intervention de constructeurs venus d'une autre planète – ou de l'Atlantide, comme le suggère Edgar Cayce – a pu rendre possible l'érection de cette construction. Mais avant de nous engager plus avant dans les propriétés ésotériques qu'on attribue aux pyramides en général, faisons un bref survol de l'histoire pour tenter de mieux cerner les raisons qui motivent les uns et les autres à s'inscrire sous une école de pensée ou une autre.

La Grande Pyramide (c'est ainsi que l'on nomme la pyramide de Khéops, du nom du pharaon qui en commanda la construction) et les deux autres qui se dressent à côté. Celle de Khephren, dédiée au fils de Khéops, qui est une reproduction de la première et celle de Mykérinos, plus petite que les deux autres, ont été construites entre 2163 et 2494 avant notre ère, lors de la IVᵉ Dynastie. La majorité des archéologues et des historiens croient que

Khéops avait fait ériger cette construction pour servir de monument à sa gloire, ainsi que de tombeau, mais un certain nombre de spécialistes de la question doutent cependant de cette interprétation, estimant improbable que cette construction ait pu n'être destinée qu'à la seule momie d'un pharaon. Il faut dire que depuis l'ère préchrétienne de nombreuses autres explications ont été proposées. Honorius, un historien romain, croyait par exemple que les pyramides servaient de silo à grain, tandis que les Arabes, qui gouvernèrent l'Égypte pendant plusieurs siècles, croyaient pour leur part que les pharaons les avaient fait bâtir pour y conserver toute la mémoire de leurs connaissances en prévision d'une catastrophe qui ravagerait tout. Un auteur ancien les prit même pour des volcans éteints !

C'est Hérotode, un historien grec, qui, le tout premier, recueillit toutefois des informations systématiques sur cette pyramide en la visitant vers le Ve siècle, soit près de deux mille ans après sa construction. Il ne put pénétrer à l'intérieur parce que l'entrée était cachée, mais à partir des entretiens qu'il eut sur place, il en décrivit néanmoins la construction et en arriva à la conclusion qu'il s'agissait effectivement d'un tombeau qu'avait fait construire le pharaon Khéops pour lui-même. La chambre mortuaire, que l'on n'a toujours pas découverte jusqu'à aujourd'hui, se trouverait dans une crypte profondément enfouie, selon ce qu'on lui aurait confié.

Plus tard, la pyramide retint l'attention du calife arabe Abdullah Al-Mamum, passionné par les sciences en général et par l'astronomie en particulier, car il était convaincu que la pyramide renfermait, dans des chambres secrètes, non seulement des cartes très précises et des tables de données, mais aussi, surtout, les connaissances mathématiques supposément maîtrisées par les Anciens. L'idée qu'il s'y trouvait en outre des trésors à la valeur inestimable ne le laissa sans doute pas insensible. Des écrits narrèrent son aventure — et quelle aventure !

Tout comme Hérotode, Al-Mamum ne put découvrir l'entrée, mais plus déterminé que son prédécesseur, il entreprit d'y ouvrir une brèche. De fait, après avoir percé sur une trentaine de mètres, Al-Mamum et son équipe, parvinrent à un étroit couloir en pente d'un peu plus d'un mètre de haut, à l'extrémité duquel ils trouvèrent la véritable entrée de la pyramide, qui était obstruée et dissimulée par une porte pivotante en pierre. Ils rebroussèrent chemin parcourant en rampant le corridor dans l'autre sens pour finalement se retrouver dans une chambre inachevée et vide. Le calife n'allait pas renoncer aussi facilement. Poursuivant ses recherches, il trouva un autre corridor ascendant, bloqué lui aussi ; après avoir essayé en vain d'y percer une passage, il contourna l'obstacle pour se retrouver à nouveau dans une galerie obstruée. À force d'efforts et de persévérance, Al-Mamum déboucha enfin dans un couloir que coupait plus haut, un passage horizontal conduisant dans une pièce carrée de 5,5 mètres de large, avec un plafond en double pente, qu'on appela plus tard « la chambre de la reine », inspiré par la coutume arabe d'inhumer les femmes dans ce type de tombeau. Mais nulle trace de reine. Le calife et son équipe rebroussèrent chemin une fois de plus et, reprenant l'exploration du dernier couloir, ils aboutirent cette fois dans une galerie splendide, longue de 46,50 mètres et haute de 8,50 mètres, Cette galerie les mena dans une antichambre, puis à la plus grande salle de la pyramide, laquelle sera désignée plus tard comme « la chambre du roi ». Mais, ici non plus, même s'ils découvrirent un sarcophage — vide — de pierre brun-rouge, nulle trace de roi. Al-Mamum poursuivit sa quête avec rage, abattant tous les blocs qui lui obs-truaient le passage, mais... il ne trouva rien.

Le résultat décevant de cette expédition — pour qui souhaitait trouver des richesses — eut pour effet de faire retomber la ferveur de l'exploration de la Grande Pyramide. Huit cents ans s'écoulèrent avant que ne soit entreprise une nouvelle exploration d'envergure. Cette fois, c'est un mathématicien anglais répondant au nom de John Greaves qui se lança dans l'aventure, convaincu, tout comme jadis l'avait été Al-Mamum, que les constructeurs des pyramides possédaient des connaissances scientifiques géométriques qui avaient été oubliées. Si ses recherches s'avérèrent vaines, puisqu'il ne trouva aucun indice de l'existence éventuelle de l'unité fondamentale de mesure qu'il recherchait, Greaves, une fois de retour en Angleterre, publia néanmoins un petit ouvrage intitulé *Pyramidographia* dans lequel il fit état de ses recherches et ses découvertes.

Un siècle et demi plus tard, ce fut au tour de Napoléon Bonaparte qui, après qu'il eut vaincu les mamelouks à la célèbre bataille des Pyramides, de se lancer dans l'exploration de la pyramide de Gizeh. Habité par les mêmes questions que les autres s'étaient jadis posées, Napoléon confia la tâche de s'attaquer aux secrets de la pyramide à un jeune polytechnicien, Edmé-François Jomard, soutenu par le corps de savants français attachés à son armée et une équipe de 150 esclaves turcs. Jomard nourrissait une véritable passion pour les pyramides, il avait donc lu et étudié tous les ouvrages publiés sur le sujet au cours des siècles. Il s'était engagé dans l'armée de Napoléon lorsqu'il avait été mis au courant de sa campagne de l'été 1798. Comme les autres avant lui, Jomard était persuadé que l'unité de mesure utilisée pour la construction de la pyramide relevait des dimensions de la Terre et il comptait bien le prouver. Non sans peine, le jeune savant établit les mesures les plus précises jamais réalisées jusqu'alors mais, malheureusement pour lui, des instruments approximatifs, une base instable, du sable et des débris transportés par le vent faussèrent le résultat qui, même s'ils étaient significatifs pour lui, se virent contestées par une expédition scientifique française qui se livra à la même expérience mais qui obtint des résultats différents. Si tout était (encore) à refaire, cela eut néanmoins pour effet de provoquer un véritable engouement pour l'Égypte : les couturiers de l'Empire et de la régence empruntèrent les motifs égyptiens pour orner leurs créations, les ébénistes sculptèrent moults sphinx et crocodiles sur les meubles des aristocrates et les peintres se mirent à dessiner des obélisques dans leurs paysages bucoliques. Jusqu'aux musées qui bataillaient pour recevoir momies, statues et autres artefacts égyptiens.

Main de Dieu ou énergie paranormale ?

Tous les savants se passionnent ainsi pour le sujet, ce qui, dans l'Angleterre victorienne où la science moderne était souvent perçue comme une menace à la foi, donna lieu à d'innombrables nouvelles théories, où la science affrontait le mystique.

John Taylor, un aristocrate anglais de grande culture, fut le premier à faire en quelque sorte intervenir la main de Dieu dans l'érection des pyramides. Plutôt que de se rendre sur le terrain, Taylor, avec toutes les données recueillies depuis Hérotode, construisit une maquette à l'échelle et s'y absorba. Il eut tôt faire d'écarter l'hypothèse d'un tombeau et son esprit curieux et analytique lui permit de découvrir qu'en divisant le périmètre de la pyramide par le double de sa hauteur, il obtenait un nombre quasi identique à la valeur du nombre pi, soit 3,14159, lequel, si tel était le cas, puisqu'il n'avait pas été calculé correctement jusqu'à la quatrième décimale avant le VIᵉ siècle, matérialisait en une construction toute la sagesse des Anciens. À partir de là, Taylor conclut que ces connaissances n'avaient pu être acquises autrement que par la voie divine. «Il est probable, écrivit-il dans son livre *The Great Pyramide : Why Was It Built? And Who Build It?*, qu'aux premiers âges de la société, certains êtres reçurent du «Créateur» un degré de puissance intellectuelle qui les éleva bien au-dessus du niveau des autres habitants de la terre.» Dieu, donc, comme il l'avait fait pour Noé, avait donné ses instructions aux bâtisseurs de pyramides. Ses théories furent poliment accueillies, mais ne suscitèrent pas vraiment l'intérêt des scientifiques de l'époque, pour lesquels tout cela était un peu trop... audacieux. Néanmoins, après la mort de Taylor, un certain Charles Piazzi Smyth, un astronome dont les travaux lui avaient valu à vingt-six ans d'être admis à la Royal Society d'Edimbourg, reprit en quelque sorte là où Taylor avait laissé, mêlant lui aussi intérêt scientifique et foi religieuse. À la suite de ses travaux qui non seulement confirmèrent les conclusions de Taylor, mais les poussèrent encore plus loin, il écrivit, dans un livre intitulé *Our Inheritance in The Great Pyramide*, que seul Dieu avait pu avoir conçu la Grande Pyramide. La Bible, écrivit-il, mentionne que l'Éternel impartit jadis «la connaissance et les notions métriques des constructions» à quelques initiés, «dans un dessein spécial et ignoré». Il alla même plus loin en disant que non seulement la pyramide prouvait l'existence de Dieu, mais qu'elle prédisait également la date de sa deuxième venue sur Terre. Smyth ne vit pas ses théories susciter l'intérêt qu'il avait espéré chez la communauté scientifique, (la Royal Society d'Edimbourg, dont il était pourtant membre, qualifia même ses théories «d'hallucinations bizarres, auxquelles ne peuvent croire que de faibles femmes), quoique la plupart se contentèrent de souligner qu'en manipulant des chiffres, on pouvait prouver n'importe quoi ainsi que son contraire.

Si les théories de Taylor et de Smyth laissèrent plutôt indifférents, les significations religieuses attribuées aux pyramides suscitèrent en revanche un débat animé entre les tenants de l'intervention divine et les évolutionnistes qui adhéraient à la toute nouvelle théorie de l'évolution de Darwin. Un homme, William Matthew Flinders Petrie, tenta de trancher la question en se livrant à une étude exhaustive de tous ces calculs présentés par les uns et les autres. Il débarqua en Égypte avec le nec plus ultra du matériel scientifique qui existait à l'époque et entreprit de mesurer méticuleusement toutes les dimensions imaginables de la pyramide. Les résultats auxquels il parvint lui permit de prouver la théorie de

Taylor et de Smyth — il fut d'ailleurs par la suite anobli pour ses travaux —, ce qui n'empêcha pas certains de leurs émules de poursuivre leurs recherches, sans qu'aucun n'obtienne pour autant un résultat probant.

Les études consacrées à la pyramide ne se limitèrent toutefois pas à la métrologie (mesurage), d'autres investigations scientifiques furent aussi menées, sans doute moins tumultueuses parce que moins controversées. À la fin du XIXe siècle, par exemple, l'astronome anglais Richard Proctor ouvrit une nouvelle avenue, qu'on allait appeler l'archéoastronomie, parce que ses études donnèrent à croire que la Grande Pyramide avait probablement servi d'observatoire astronomique. Une idée qui allait être renforcée, malgré une pluie de critiques, par un autre astronome anglais, Norman Lockyer, dans un livre intitulé *The Dawn of Astronomy*. Un peu plus tard, un américain apporta de nouveaux éléments à cette hypothèse en affirmant que les Égyptiens avaient pu calculer la longueur d'un degré de latitude et de longitude à quelques centaines de mètres près, ce qu'on ne réussira officiellement à faire que 4 000 ans plus tard.

Ce sont les théories de la troisième école de pensée qui piquent cependant le plus l'attention, sans doute parce qu'elles frappent l'imaginaire collectif et suggèrent une force surnaturelle. De fait, dans ce cas, on ne réfère plus uniquement à la Grande Pyramide, mais plutôt à la forme pyramidale elle-même. Les tenants de cette théorie défendent l'idée de pouvoirs, encore inexpliqués, inhérents à cette figure géométrique et qui exercent des effets particuliers tant sur le règne animal que végétal et minéral. Cette force, appelée «pouvoir pyramidal», a été évoquée pour la première fois au milieu du XIXe siècle sur le site même du mystère, la pyramide de Khéops. Le président-fondateur de la Siemens, un important conglomérat allemand spécialisé dans l'électricité, profita de son passage à Gizeh, en route vers la mer Rouge, où il devait installer de l'équipement avec une équipe d'ouvriers, pour grimper au sommet de la Grande Pyramide. Voulant immortaliser sur pellicule ce moment particulier, il prit la pose et leva les deux doigts dans les airs en signe de victoire. Quelle ne fut pas sa surprise de sentir alors un picotement dans son doigt, accompagné d'un crépitement, semblables à la sensation et au bruit provoqués par une faible décharge électrique. Étonné par ce phénomène, il décida de pousser l'expérience plus loin. Empruntant alors à un principe électrique basique, il enveloppa une bouteille à goulot métallique dans un chiffon humide et la laissa en place quelques minutes. À sa grande surprise, la bouteille se chargea d'électricité et projeta même des étincelles lorsqu'il en approcha la main.

Aussi étonnant que puisse paraître le résultat de l'expérience, il n'y eut pas de suite dans l'immédiat. En fait, il fallut attendre presqu'un siècle avant qu'une autre expérience aussi, sinon plus étrange, soit rapportée, cette fois par un quincailler français, un dénommé Antoine Bovis. Au cours d'un voyage en Égypte, il se retrouva dans «la chambre du roi» où il aperçut les restes de plusieurs petits animaux, visiblement morts dans la pyramide depuis longtemps, mais qui, malgré l'humidité ambiante, s'étaient déshydratés et momifiés. Même lorsqu'il fut de retour chez lui, il ne parvint pas à oublier cette découverte pour le moins stupéfiante, aussi décida-t-il de se livrer à une petite expérience. Il construisit une maquette en bois aux proportions de la Grande Pyramide, la plaça exactement dans la même orientation que la véritable pyramide et mit à l'intérieur un chat qui venait tout juste de mourir. En quelques jours à peine, le chat se momifia. Il recommença avec d'autres petits animaux morts et obtint le même résultat; il bâtit une pyramide un peu plus volumineuse et y plaça des animaux un peu plus gros: toujours le même résultat. Et ce fut pareil encore avec de la viande et des œufs, qui, plutôt que de se décomposer, se desséchèrent et se momifièrent.

L'expérience inspira d'autres chercheurs, notamment un électricien tchèque, Karl Drbal, qui construisit une pyramide d'une quinzaine de centimètres de hauteur pour momifier de la viande et sécher des fleurs. Il fit quelques autres expérimentations, plaçant notamment une lame de rasoir en un point au tiers inférieur de la pyramide, lequel emplacement correspondant à la fameuse «chambre du roi». Normalement, la lame aurait du perdre son tranchant, mais lorsqu'il la retira quelques semaines plus tard il fut obligé de constater qu'elle était plus affilée qu'auparavant. À son avis, le pouvoir pyramidal affûtait si bien les lames qu'elles pouvaient servir plusieurs centaines de fois — il obtint d'ailleurs, en 1959, un brevet pour ses pyramides en carton qu'il surnomma «les aiguiseurs de lames de rasoir de la pyramide de Khéops».

Dès que ces expériences furent rendues publiques, plusieurs autres furent tentées, multipliant d'autant les pouvoirs attribués à la forme pyramidale. Des effets sur les objets, on passa à ses effets sur l'être humain, sans que cette notion de pouvoir pyramidal n'ait pour autant de succès auprès de la communauté scientifique. Mais cela signifie-t-il que tout n'est que fabulation?

Non seulement allons-nous nous pencher sur cet aspect, mais je vous donnerai toutes les informations nécessaires pour que vous puissiez vous livrer à vos propres expériences et ainsi juger par vous-même.

Chapitre 2

ÉNERGIE ET THÉORIES

Une pyramide est d'abord et avant tout une figure géométrique, à base carrée et dont les quatre faces en forme de triangle se rejoignent en un point appelé le sommet. S'il est entendu que les pyramides peuvent avoir une apparence différente, selon des proportions existant entre la longueur de la base et la hauteur, ceux qui d'entre nous expérimentent sur le plan du pouvoir pyramidal ont plus souvent qu'autrement recours à un modèle qui reproduit habituellement les proportions de la Grande Pyramide. S'il fut un temps où l'on insistait tout particulièrement sur l'importance de reproduire fidèlement les proportions de cette pyramide légendaire, on réalise aujourd'hui que cela relève plus du mythe — et de l'esthétique, dans une certaine mesure, car la Grande Pyramide est agréable sur ce plan — que de la nécessité.

Comme nous l'avons vu dans le chapitre précédent, la pyramide de Khéops a été bâtie selon des paramètres très précis, exigeant des connaissances approfondies dans plusieurs disciplines — mathématiques, astronomie, physique et géologie entre autres —, mais dont le « pourquoi » reste toujours en suspens, quoi que l'on estime que la Grande Pyramide a joué un rôle dans l'établissement d'un système universel de mesure, dans l'observation des étoiles, dans le calcul des longitudes et des latitudes, ainsi que dans la résolution de problèmes mathématiques — il existe d'ailleurs des ouvrages traitant de façon exhaustive des applications pratiques de ses proportions. Cela dit, il semble que le pouvoir pyramidal soit indépendant de ces proportions.

Par «pouvoir pyramidal», nous parlons d'énergie — une énergie qui produit des effets sur les hommes et les objets. Mais le fait que personne ne soit encore parvenu à identifier clairement cette énergie qui se manifeste parfois comme le magnétisme, parfois comme l'électricité, parfois encore comme la lumière, a conduit un bon nombre de scientifiques à se détourner de la question, quoi que de nombreux autres poursuivent encore des recherches et des expérimentations, car même si cette énergie ne peut encore être identifiée, il existe certaines façons de mesurer son existence qui laisse dubitatif. Cela peut certes sembler paradoxal, mais ce ne l'est pas, c'est simplement que les méthodes auxquelles on a recours pour la mesurer ne sont pas (encore) assez précises pour répondre à la rigueur de l'expérimentation scientifique.

Parmi ces méthodes, deux sont objectives. D'abord, l'observation des effets; non seulement pourra-t-on vérifier qu'une lame de rasoir s'affûte effectivement par sa présence dans une pyramide, mais l'on pourra même constater des «variations» dans l'affûtage selon les proportions de la pyramide. La seconde est l'utilisation du pendule. Il a été démontré que lorsque l'on tient un pendule du côté de la pyramide ou au-dessus du sommet, un léger balancement se produit, indiquant une action magnétique, et plus vous vous approchez de la pyramide, plus le pendule s'écarte de la verticale. Comme pour l'expérimentation précédente, le pendule réagira différemment, selon les proportions de la pyramide. Il existe aussi d'autres façons, plus subjectives toutefois, de constater un effet magnétique. Par exemple, nombreux sont ceux qui ressentent d'étranges sensations lorsqu'ils placent leur main au-dessus de la pyramide ou la glissent à l'intérieur de celle-ci. Ces sensations varient de la chaleur pour certains aux picotements pour d'autres, mais elles diffèrent aussi chez la même personne selon les moments où l'expérience est tentée. La baguette de sourcier peut aussi permettre une bonne lecture de l'énergie, quoiqu'il faille ici maîtriser les rudiments de la technique. Enfin, tout cela pour dire qu'il est possible de percevoir l'énergie qui se dégage des pyramides — au fil des prochains chapitres, je vous suggérerai certaines expériences à pratiquer vous-même.

Comme je l'ai souligné, il ne s'agit pas là de mesures qu'accepte la communauté scientifique comme preuve, de là sans doute son désintérêt, ou plus exactement son intérêt non avoué. D'une part, certaines recherches, plutôt secrètes, sont menées par certains gouvernements. Il y a quelques années, par exemple, un organisme du nom de «Mankind Research Unlimited», qui a différents laboratoires aux quatre coins des États-Unis, a reçu une subvention du gouvernement américain pour se livrer à certaines expérimentations dans son laboratoire de Washington, spécialisé dans les recherches biocybernétiques, psychotechnologiques et les sciences du comportement. Mais il s'agit là d'un rare cas où l'information est disponible de façon aussi spécifique, car les scientifiques et autres chercheurs tendent (malheureusement) à ne pas trop s'éloigner des concepts établis et acceptés, de crainte d'être mis au ban de la communauté, comme le furent Taylor et Smyth. D'autre part, et heureusement cette fois-ci, il existe tout de même un certain nombre d'esprits libres parmi la communauté scientifique qui se penchent sur le sujet et se livrent à certaines expérimentations, même s'ils le font de façon discrète, souvent à temps perdu. Le problème majeur de ces derniers se trouve toutefois dans la possibilité de faire publier le résultat de leurs recherches.

Intrigués et inspirés par Siemens, Bovis et les autres, de nombreux chercheurs, hors de cette communauté, se sont toutefois livrés, eux, à des expérimentations qui leur ont permis de mieux comprendre et définir cette énergie que l'on attribue à la forme pyramidale. Par exemple, ils ont réussi à déterminer que l'énergie n'agissait pas seulement au point focal comme on l'avait cru pendant longtemps, même si elle y est effectivement plus concentrée — ce point focal étant le point correspondant à la « chambre des rois » découverte dans la Grande Pyramide, situé au centre de la pyramide, à environ un tiers de la distance séparant la base du sommet — mais tout autour de l'intérieur et de l'extérieur. Le seul aspect important pour en quelque sorte maximiser l'énergie associée à la pyramide serait son orientation : elle devrait idéalement faire face au nord magnétique (le nord indiqué par une boussole), contrairement à l'idée longtemps répandue et acceptée qu'elle devait faire face au nord géographique, parce que la Grande Pyramide elle-même était ainsi orientée, mais on ignorait alors que, en Égypte, les pôles Nord géographique et magnétique se rejoignaient presque (comme le pôle Nord magnétique se déplace lentement avec le temps, il est logique de croire qu'au moment de sa construction, la Grande Pyramide était orientée directement vers ce pôle). Cela dit, même si une pyramide n'est pas totalement orientée de cette façon, son effet n'est pas annihilé, mais plutôt atténué.

COMMENT ?

Même si la communauté scientifique n'a pas encore réussi à mesure ni à expliquer le fonctionnement de l'énergie des pyramides, certaines théories n'en ont pas moins été avancées. Les meilleures théories, ici comme dans tout événement que l'on cherche à expliquer, sont celles qui permettent d'expliquer les phénomènes qui se rattachent à un sujet déterminé et qui réussit à identifier et prévoir les phénomènes à venir. Une telle théorie est alors considérée comme une preuve, jusqu'à ce que d'autres phénomènes qu'elle n'explique pas surviennent et qu'il faille alors l'élaborer davantage ou la répudier et poursuivre la recherche. Naturellement, tout cela ne se fait pas en l'espace de quelques mois ou de quelques années, et on oublie trop souvent que des scientifiques mis au ban de leur communauté pour leurs théories qui semblaient extravagantes se sont vus attribuer le crédit qui leur revenait, des décennies plus tard, alors qu'un autre chercheur, partant de ces « fabulations », parvenait à une théorie incontestable. Si le premier n'avait existé, force nous est pourtant d'admettre que le second n'aurait pas eu la base pour se lancer dans ses propres expérimentations et obtenir un résultat probant.

Est-ce le cas aujourd'hui pour tous ces chercheurs qui se consacrent au pouvoir pyramidal, mais dont les scientifiques « officiels » se rient ? Probablement. Certes, je le reconnais, aucune de ces théories auxquelles se sont consacrés et se consacrent bon nombre de chercheurs ne satisfait pour l'instant les critères de la science exacte, mais voyons néanmoins les différentes théories qui sont avancées. Je vous ferai gré des détails « techniques » sur lesquels reposent ces différentes théories — un ouvrage ne suffirait pas à expliquer chacune d'elles —, mais je chercherai plutôt à vous les présenter de façon simple et compréhensible.

La théorie de la résonnance micro-ondes

Cette théorie a été inspirée par les travaux de Drbal, qui avait réussi à affûter des lames de rasoir dans une pyramide — et qui avait obtenu un brevet sur son « invention ». La théorie qui soutient cette expérimentation concluante défend l'idée qu'une pyramide faite de n'importe quel matériau, sauf de métal (parce que ce dernier repousserait les micro-ondes), laisse pénétrer en elle des micro-ondes provenant de sources électromagnétiques, magnétiques, électriques, de gravité, et peut-être d'autres encore inconnues, qui engendreraient, par un processus encore inconnu, une résonance à l'intérieur de la pyramide, laquelle provoquerait une accélération de la stérilisation et de la régénération. Si cette théorie, complexe, a l'avantage de reposer sur des principes scientifiques établis, elle n'explique malheureusement pas tout, parce qu'il a été démontré que les pyramides en métal fonctionnent elles aussi.

La théorie du magnétisme

Jusqu'ici personne n'a jamais formellement nié l'idée que le magnétisme ait une incidence quelconque dans l'action des pyramides, mais cette théorie pousse l'idée plus loin en affirmant que seul le magnétisme est responsable de son énergie. Certains faits pourraient appuyer cette théorie, notamment qu'une pyramide génère plus d'effets lorsqu'elle est orientée vers le pôle magnétique, ou que les lectures magnétiques obtenues par un équipement sophistiqué indiquent effectivement qu'elles sont plus élevées lorsque la pyramide se rapproche du nord magnétique et cela, indépendamment des matériaux utilisés dans sa fabrication. Un autre facteur qui joue en faveur de cette théorie est le fait que nombreux sont les scientifiques à croire que le magnétisme a effectivement des propriétés particulières qui dépassent les applications technologiques actuelles, ce qui n'est pas quelque chose de nouveau en soi puisque quelques deux cent ans avant Jésus-Christ on évoquait déjà les propriétés particulières des aimants. Mais cette théorie a aussi ses lacunes, mises notamment en évidence par Mesmer, médecin autrichien qui développa le premier la thérapie magnétique, censée avoir un pouvoir guérisseur, mais qui abandonna l'utilisation des aimants parce qu'ils s'avéraient superflus pour obtenir des effets énergétiques.

La théorie de la radiation

Cette théorie a l'avantage de reposer sur une base scientifique généralement admise, laquelle soutient l'idée que, par l'oscillation des atomes et des systèmes moléculaires, le corps irradie de l'énergie électromagnétique, laquelle est transférée d'une substance à l'autre, l'énergie de la deuxième vibrant en harmonie avec la radiation de la première — un exemple en est le ténor italien, Enrico Caruso, qui réussissait à casser un verre par sa seule voix. Dans le cas qui nous intéresse, cette théorie avance l'idée que l'énergie de la structure de la pyramide s'organise aux angles et aux coins pour générer ainsi des faisceaux énergétiques qui irradient alors aussi bien l'intérieur que l'extérieur de la pyramide, se rejoignant au point focal que constitue « la chambre des rois » (de là le fait que l'énergie y serait plus dense). Comme ce processus est sans cesse en mouvement, les faisceaux énergétiques font vibrer l'air ambiant et saturent ainsi l'espace intérieur, générant du coup les effets que l'on constate. Malheureusement, ce qui joue à l'encontre de cette théorie est le fait que la circulation des faisceaux et l'apparition de champs de force devraient aussi se produire dans un cube, or ce n'est pas le cas. Certains paramètres manquent-ils ? Sans doute. Cette théorie est donc à revoir.

La théorie du tourbillon éthérique

À la fin du XIXe siècle, Nikola Tesla, un physicien autrichien, découvrit « l'énergie libre », une énergie totalement issue de ce qu'on qualifie souvent de cinquième élément, l'éther, dont Aristote disait des siècles auparavant : « L'Homme a découvert depuis longtemps que toute matière provient d'une substance primordiale, un champ subtil et vaste, au-delà de toute imagination, l'éther, qui donne vie à toutes les choses et tous les phénomènes dans un cycle éternel. ». Cette théorie utilisée dans l'explication de l'énergie des pyramides présume que la matière physique se forme et s'ancre sur la structure définie de lignes de force, provoquant en elle et autour d'elle, dû à l'électromagnétisme, le fameux tourbillon éthérique (de l'éther, un liquide subatomique), lequel produirait l'énergie en question. Mais, ici encore, on peut contester cette théorie car certains phénomènes semblent se produire même en l'absence de manifestation électromagnétique.

La théorie de l'énergie multiple

Comme aucune des précédentes théorie ne réussit à expliquer clairement l'énergie produite par la pyramide, certains chercheurs défendent une théorie dite de l'énergie multiple, où ce serait un amalgame d'agents —

électromagnétiques, magnétiques, électriques et d'autres qui restent probablement inconnus — qui généreraient l'énergie de la pyramide. La théorie est séduisante car elle emprunte aux autres théories les éléments qui pourraient effectivement expliquer les effets ; en revanche, on doit s'en méfier car, de par ses trop nombreux facteurs inexplicables, elle devient une théorie qui ne repose sur pratiquement rien.

Bien sûr, aucune de ces théories n'explique de façon satisfaisante le fonctionnement de l'énergie générée par les pyramides. Mais ce n'est pas quelque chose qui devrait pour autant nous empêcher de croire qu'il se passe « quelque chose » puisque plus souvent qu'autrement la manifestation d'un phénomène se produit avant l'élaboration de la théorie qui l'explique. Un jour viendra très certainement où l'Homme trouvera une explication satisfaisante aux effets du pouvoir pyramidal, mais d'ici là nous devrons nous contenter de ces théories.

Chapitre 3

CONSTRUIRE ET EXPÉRIMENTER
VOTRE PYRAMIDE

C'est Thomas Édison, l'inventeur de l'électricité, qui, un jour, en réponse à une question qui lui était posée sur le processus qui menait à la fabrication de l'électricité, dit : « Ne vous préoccupez pas de la façon dont cela fonctionne, contentez-vous de vous en servir. » Et s'en servir, dans ce cas-ci, signifie aussi bien aiguiser des lames de rasoir que favoriser la germination des graines et la croissance des plantes, recharger des batteries que retarder la ternissure, ou encore accroître la vitalité, favoriser la détente, stimuler la guérison et quoi d'autre encore !

Les effets des pyramides sont d'ailleurs aujourd'hui si reconnus que l'on peut retrouver dans le commerce d'innombrables pyramides. Si certaines sont faites aux proportions de la pyramide de Khéops, d'autres diffèrent complètement ; on en retrouve qui atteignent tout juste quelques centimètres, et que l'on peut glisser dans ses poches ou son sac à main, alors que d'autres ont une taille beaucoup plus considérable et pourraient remplir une pièce de bonne dimension ; certaines sont en cristal ou en pierre, d'autres en carton ou en bois, d'autres encore en aluminium ou en cuivre. Si certaines personnes affirment percevoir l'énergie différemment selon le matériau utilisé, les résultats peuvent néanmoins être obtenus indifféremment du matériau. Il s'agit donc d'un facteur qui relève des préférences personnelles de chacun.

Cela dit, je ne crois pas qu'il soit nécessaire d'acheter une pyramide puisque chacun peut construire la sienne, sans avoir à débourser une grosse somme d'argent ni sans avoir de talent de bricoleur ou d'outils particuliers. Ce faisant, vous serez en mesure de constater si vous obtenez les résultats que vous visez et, alors, si vous souhaitez vous procurer une pyramide dans le commerce, pour des raisons de matériaux ou d'esthétisme, vous pourrez le faire sans crainte de débourser de l'argent en pure perte. En outre, vous n'avez pas à vous inquiéter de ne pas reproduire les mesures au millimètre près puisque, comme je l'ai souligné dans le chapitre précédent, les dimensions comme les proportions de la pyramide n'ont aucune incidence sur ses effets — sachez d'ailleurs que la Grande Pyramide elle-même a des côtés de longueurs inégales. Voici donc une méthode facile pour construire une pyramide que vous pourrez ensuite utiliser pour les différentes expériences que je vous suggérerai dans les prochains chapitres. Voici les accessoires dont vous aurez besoin pour sa fabrication : un carton rigide, une règle, un exacto (ou une bonne paire de ciseaux) et du papier collant.

CONSTRUISEZ VOTRE PYRAMIDE

Cette méthode est la plus simple et la plus rapide, aussi est-ce celle que je vous recommande si vous en êtes à votre premier essai. Prenez un carton de 59,5 cm par

19,1 cm; le long d'un côté de la partie la plus grande, du bord du carton, tracez un premier point de repère à 23,8 cm, puis un second, 23,8 cm plus loin. Cette partie constitue le bas. Ensuite, sur le haut du carton, en commençant à la même extrémité que pour le bas, tracez un point de repère à 11,9 cm, un second à 23,8 cm et un troisième, encore 23,8 cm plus loin. Il ne vous reste plus, alors, qu'à relier chacun des points en traçant des lignes. Reliez d'abord l'extrémité du bas au premier point du haut, puis celui-ci au premier point de repère du bas et ainsi de suite. Une fois toutes vos lignes tracées, découpez chacun des morceaux — vous obtiendrez quatre triangles reproduisant parfaitement les proportions de la Grande Pyramide. Pour la base, il vous suffit de vous découper un autre morceau de carton, mais cette fois de 23,8 cm par 23,8 cm (ne collez pas cette base de façon permanente puisque dans certaines expériences vous devrez placer des accessoires à l'intérieur de celle-ci). Si les explications et les mesures vous semblent complexes, référez-vous à l'illustration ci-dessous — vous comprendrez d'un seul coup d'œil! Une fois que vos morceaux sont tous découpés, vous n'avez plus qu'à les assembler avec du papier collant.

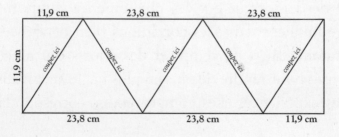

Vous pouvez aussi construire une pyramide de 30 cm de haut, laquelle vous sera particulièrement utile si vous souhaitez réaliser des tests où vous devez y placer des objets ou des matériaux à l'intérieur. Dans ce cas, respectez les mêmes proportions que dans l'exemple ci-dessus, mais multipliez toutes les mesures par deux.

Vous pouvez en outre utiliser un matériau plus solide, comme des feuilles de styrène ou du bois ; dans ce cas, servez-vous des indications ci-dessus ou, plus facile encore, utilisez les modèles que vous aurez découpé dans du papier ou du carton avant de vous en servir pour les reproduire sur votre autre matériau. Pour les assembler, utilisez de la colle qui sert pour les modèles réduits ou de la colle à bois.

Comme vous le voyez, le principe est simple.

L'ABC DE L'EXPÉRIMENTATION

Depuis que la parapsychologie existe en tant que discipline indépendante, un but majeur de l'expérimentation a été de démontrer que les phénomènes paranormaux se produisaient dans des conditions bien contrôlées en laboratoire. Bien du temps et des efforts ont ainsi été dépensés pour rendre de plus en plus fiable la conclusion de ces expériences. Les compte-rendus correspondants, publiés depuis quelques décennies dans la littérature sérieuse spécialisée, ne se comptent plus ; et si jusque chez les parapsychologues on doute, encore de nos jours, de tel ou tel type particulier de phénomène, l'existence du paranormal en soi semble démontrée au-delà de tout doute raisonnable pour toute personne qui a une connaissance suffisante du sujet.

Certes, ni vous ni moi ne sommes des scientifiques, mais est-ce que cela doit nous empêcher de nous livrer à nos propres expérimentations ? Bien sûr que non — et j'ajouterais même, au contraire. Notre objectif diffère de celui des scientifiques qui est de prouver hors de tout doute, et selon des critères précis et rigoureux, qu'il y a une relation de cause à effet et, surtout, qu'à chaque fois que l'expérience est répétée le résultat reste le même. Dans un domaine aussi mystérieux que les sciences paranormales, c'est habituellement cet aspect qui empêche la confirmation de ces expériences.

Cela dit, le fait de vous livrer à vos propres expérimentations vous permettra d'outrepasser cette dimension. En réalisant vos expériences, vous acquerrez ainsi une connaissance pratique qui vous permettra de discuter de l'énergie et du pouvoir des pyramides avec un meilleur bagage, et aussi une plus grande assurance. Mais, peu importe les résultats que vous obtiendrez — parce que vous en obtiendrez —, ne cherchez pas à convaincre tout le monde de ce que vous faites et des réussites auxquelles vous arrivez car certains refuseront de vous croire quoi que vous leur démontriez. En fait, lorsque vous parlerez de ce sujet avec votre entourage, vous constaterez rapidement que vous faites face à trois types d'interlocuteurs : les crédules, les sceptiques et les raisonnables. Les crédules sont bien entendu ceux qui croient n'importe quoi, sans exiger l'ombre d'une démonstration ou d'une preuve ; les sceptiques, à l'inverse, ne croient rien, quelles que soient les preuves que vous pourriez fournir. Enfin, les raisonnables, c'est-à-dire des gens qui, tout en questionnant la possibilité qu'une telle chose existe, n'en sont pas moins ouvert à cette perspective. Ce sont naturellement les gens les plus intéressants car vous pouvez avoir avec eux des échanges captivants car ils se sont habituellement intéressés au sujet et ont développé quelques pistes de réflexion qu'ils sont prêts à vous faire partager.

DE LA RIGUEUR

Même si votre objectif premier n'est pas de vous substituer aux scientifiques, il n'en demeure pas moins que vous devez faire preuve d'une certaine rigueur pour ne pas que vos résultats soient simplement dus à votre désir de réussir ou faussé par lui.

Ainsi, pour bien comprendre le processus qui gérera votre expérience, vous devriez tenir une fiche de contrôle exhaustive. Pour chaque expérimentation à laquelle vous vous livrerez, utilisez la fiche adjacente (ou reproduisez-la si nécessaire), laquelle vous permettra de noter la date à laquelle vous avez procédé à votre expérience, le nom et le numéro que vous lui aurez donnés, le type de pyramide dont vous vous serez servi (au début, vous n'aurez probablement pas à préciser puisque vous travaillerez sans doute avec une seule pyramide, mais vous en utiliserez sans doute plusieurs au fil du temps et de vos expériences). Résumez en quelques lignes l'expérience à laquelle vous vous livrez et l'objectif que vous visez (par exemple : Lame de rasoir. Vérifier son degré d'affûtage.) Ensuite, sous la rubrique « matériaux », vous noterez tous ceux dont vous vous servirez pour cette expérience (dans notre exemple, vous préciseriez par exemple le type de lame, et évalueriez sur une échelle de 1 à 10 son degré d'affûtage ; dans certains cas, particulièrement si vous faite des tests avec des aliments, vous devriez noter la température). Enfin, sous la rubrique « Informations supplémentaires », vous préciserez les facteurs qui pourraient influencer le déroulement de l'expérience (orientation de la pyramide, la position des planètes, la température et les conditions atmosphériques, etc.). Bref, il s'agit de noter le plus d'informations possibles sur le pourquoi et le comment de votre expérience, de façon à vous permettre non seulement de comprendre comment vous avez atteint un résultat, mais aussi des points de repère ou de comparaison pour vos expériences ultérieures. Enfin, vous concluerez en décrivant le résultat que vous avez obtenu.

Chapitre 4

DES EXPÉRIENCES À RÉALISER VOUS-MÊME

Dans ce chapitre, je vous suggérerai une douzaine d'expériences que vous pouvez réaliser vous-même, sans pour autant avoir besoin de trop de matériel ou d'accessoires trop difficiles à trouver ou trop dispendieux. Comme il s'agit d'expériences qui ont déjà été réalisées avec succès, vous pouvez donc vous attendre à des résultats concluants.

Vous le verrez, la plupart de celles-ci sont plutôt simples à mener ; dans beaucoup de cas, il suffit d'ailleurs de placer l'objet de votre expérimentation au cœur de la pyramide (de là l'importance de prévoir une base amovible) ; dans d'autres, particulièrement lorsqu'il s'agit d'expériences à mener avec les animaux ou avec vous, la façon de faire diffère naturellement, dans ce cas-là je vous fournirai les indications nécessaires.

Bien que je vous propose des expériences intéressantes — et aux résultats étonnants —, il est encore plus important d'imaginer vous-même des expériences mettant à profit l'énergie et le pouvoir de la pyramide. Une fois que vous aurez fait toutes celles suggérées, que vous connaîtrez mieux les principes de base et que vous maîtriserez mieux les techniques d'expérimentation, rien ne vous empêchera d'exploiter de nouvelles avenues, exactement comme l'avaient fait les tout premiers chercheurs qui se sont intéressés aux pyramides. Ce sera alors à vous de trouver d'éventuelles utilisations.

Bien entendu, l'expérience peut ne pas vous mener au résultat que vous attendiez. Si cela survient, vérifiez la taille de la pyramide (était-elle proportionnelle aux matériaux que vous y avez placés?), son orientation (un côté doit faire face au pôle magnétique); et aussi les autres variables, telles les conditions atmosphériques ou la position des planètes. Soyez aussi le plus précis possible sur les conditions de départ de l'expérience, car vous pourrez ainsi les modifier avant de reprendre l'expérience.

EXPÉRIENCE 1 :
L'AIGUISAGE DES LAMES

Parmi les expériences les plus populaires que l'on peut réaliser avec les pyramides, il y a sans conteste celle — dont tout le monde a entendu parler — qui consiste à aiguiser des lames de rasoir. Si tous ceux qui se sont livrés à cette expérience sont effectivement arrivés à la conclusion qu'une lame ayant subi les effets de la pyramide durait au moins cinq fois plus longtemps qu'une autre non « traitée », personne ne s'entend sur la raison exacte (ou sur le processus) qui le permet. Par exemple, certains défendent l'idée que la pyramide aiguise littéralement la lame tandis que d'autres croient plutôt qu'elle ne fait que lui conserver son tranchant original.

Selon la théorie du chercheur tchèque, Karl Drbal, évoqué au premier chapitre, et qui a obtenu un brevet après dix années de recherche, l'effet serait causé par une action régénératrice du tranchant due à la déshydratation (exactement le même effet produit pour la momification de la viande). De fait — tentez vous-même l'expérience —, une lame de rasoir se « répare » elle-même, c'est-à-dire qu'elle redevient aussi affilée qu'à l'origine si, après vous en être servi, vous ne l'utilisez plus pendant de deux à trois semaines. Selon

Drbal, donc, la pyramide ne ferait qu'accélérer ce processus normal.

Pour vous livrer à cette expérimentation prenez une lame légèrement usée et placez-la sur une petite plate-forme au centre de votre pyramide, à environ un tiers de sa hauteur (à partir de la base), position qui correspond à la chambre du roi, de façon à ce que la longueur fasse face au nord magnétique. Laissez-la ensuite en place vingt-quatre heures. À la fin de ce laps de temps, votre lame devrait avoir retrouvé son tranchant d'origine.

Vous pouvez aussi y placer une lame totalement émoussée, mais pour voir le tranchant s'affûter de nouveau vous devrez compter de trois à cinq semaines. Certes, ce délai peut sembler long, mais la résultat ne sera que plus évident.

Dernière petite note : l'affûtage fonctionne aussi pour tous les types de lame, que ce soit celles des ciseaux comme des couteaux — idéalement, vous pourriez placer ces instruments sous une pyramide aussitôt que vous ne vous en servez pas, leur tranchant restera alors toujours égal.

FICHE DE CONTRÔLE

Date de l'expérience : _____

Nom de l'expérience : L'aiguisage des lames

Numéro de l'expérience : _____

Type/taille de pyramide : _____

Objectif de l'expérimentation : _____
_____

Matériaux et accessoires/description :

- _____
- _____
- _____
_____
_____

Informations supplémentaires : _____
_____
_____

Résultat obtenu : _____
_____

EXPÉRIENCE 2 :

LE NETTOYAGE DES MÉTAUX ET DES BIJOUX

Que diriez-vous de voir un métal, quelconque, que ce soit de l'or, de l'argent ou du cuivre, débarrassé de sa ternissure qui reposerait alors en petit tas tout à côté et ce, sans que vous n'ayez rien fait de particulier? Impossible, diriez-vous. Pourtant, c'est exactement ce qui se passe lorsque vous placez un métal terni sous une pyramide — à cet effet, le modèle de pyramide suggéré convient parfaitement bien.

Notez bien que je n'ai pas dit que la ternissure disparaissait, mais plutôt se déplaçait, en quelque sorte. Et s'amollissait aussi. On explique difficilement comment cela peut se produire, mais certains estiment que, comme le ternissement est essentiellement produit par une oxydation accélérée par l'humidité, c'est l'effet déhumidificateur de la pyramide qui l'expliquerait.

Pour tenter vous-même l'expérience, placez un bijou en métal (il peut être orné d'une pierre, cela importe peu) sur une petite plate-forme au centre de votre pyramide, à environ un tiers de sa hauteur à partir de la base. Laissez-la ensuite en place entre trois et cinq jours

— si je vous suggère de laisser le bijou en place de trois à cinq jours c'est qu'il m'a été donné de constater, par des expériences répétées, qu'après cinq jours plus rien ne se passait.

Lorsque vous le retirerez de la pyramide, vous remarquerez, tout autour de l'endroit où il se trouvait, de petits amas bien visibles de «poussière». Déjà, votre bijou sera plus propre qu'il ne l'était à l'origine, mais il ne sera pas lustré et il y aura encore probablement un peu de ternissure sur lui. À ce moment-là, il vous suffira de prendre un chiffon doux et de le frotter : tout ce qui reste de ternissure s'enlèvera sans difficulté et votre bijou retrouvera alors son lustre éclatant. Si le bijoux est orné d'une pierre, frottez-la aussi pour lui faire retrouver son poli.

Je soulignerai en terminant que vous pouvez aussi éviter la formation de ternissures en plaçant vos bijoux dans une pyramide lorsque vous ne les portez pas.

FICHE DE CONTRÔLE

Date de l'expérience : _____

Nom de l'expérience : Le nettoyage des métaux
                            et des bijoux.

Numéro de l'expérience : _____

Type/taille de pyramide : _____

Objectif de l'expérimentation : _____
_____

Matériaux et accessoires/description :

- _____
- _____
- _____
_____
_____

Informations supplémentaires : _____
_____
_____

Résultat obtenu : _____
_____

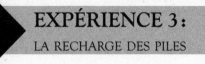

EXPÉRIENCE 3 :
LA RECHARGE DES PILES

Les scientifiques contestent le résultat de cette expérience car celui-ci peut varier d'une fois à l'autre et ce, même si les conditions de départ sont exactement les mêmes. Cela dit, certains chercheurs s'intéressent néanmoins encore de près à la question car si les résultats pouvaient s'avérer scientifiquement concluants, il s'agirait incontestablement d'une avancée majeure dans la recherche d'une source d'énergie peu coûteuse.

L'expérience que je vous invite à tenter, même si elle ne repose pas sur des bases scientifiques, vous conduira tout de même à un résultat étonnant.

Pour cette expérience, vous aurez besoin de quatre piles neuves que vous « viderez » de leur énergie — placez-les par exemple dans un balladeur que vous laisserez allumé jusqu'à ce qu'il cesse de fonctionner. À ce moment-là, lorsque l'appareil ne fonctionnera plus, prenez deux de ces piles (marquez-les pour les différencier des deux autres) et placez-les sur une petite plate-forme au centre de votre pyramide, à environ un tiers de sa hauteur à partir de la base (toujours pour retrouver le plus possible la position qui correspond à la chambre du roi). Laissez-les ensuite en place pendant sept jours.

Une fois le délai écoulé, replacez les piles dans l'appareil et vous verrez que celles-ci fonctionnent à nouveau — et à chaque fois l'expérience fonctionne ! Essayez avec les piles que vous avez mises de côté, celles qui n'ont pas été placées dans la pyramide, et vous constaterez que celles-ci sont bien mortes.

Ce qui empêche de dire que cette expérience est scientifiquement concluante, c'est que la durée de vie des piles rechargées n'est jamais égale et cela, personne n'est encore arrivé à en trouver la raison. Deux petites notes en terminant : 1) il arrive souvent qu'après trois « recharges » les piles ne fonctionnent plus ; 2) le délai optimal pour la recharge est de sept jours ; avant ce laps de temps, les piles ne sont pas parfaitement rechargées et après elles ne bénéficient plus des propriétés de la pyramide.

FICHE DE CONTRÔLE

Date de l'expérience : _____

Nom de l'expérience : La recharge des piles

Numéro de l'expérience : _____

Type/taille de pyramide : _____

Objectif de l'expérimentation : _____
_____

Matériaux et accessoires/description :

- _____
- _____
- _____
_____
_____

Informations supplémentaires : _____
_____
_____

Résultat obtenu : _____
_____

EXPÉRIENCE 4 :
LA « MOMIFICATION » DE LA VIANDE

L'une des premières expériences à avoir été menée, comme nous l'avons vu dans l'un des chapitres précédents, est celle de Antoine Bovis, qui avait constaté la momification d'animaux dans la Grande Pyramide et qui, de retour chez lui, répéta l'expérimentation avec succès.

Plutôt que de parler de momification, il serait plus juste de parler de déshydratation — car c'est en présence d'eau que se développent les bactéries qui sont responsables de la pourriture. Dans le cas qui nous intéresse, de la viande laissée sous une pyramide pendant plusieurs semaines, voire quelques mois, non seulement ne pourrit pas, mais reste aussi goûteuse qu'à l'origine (quoique la déshydratation la fait toutefois se contracter).

Pour cette expérience, vous pouvez utiliser n'importe quelle sorte de viande, quoique les résultats soient plus intéressants lorsqu'il s'agit d'une viande avec un fort taux d'humidité ; de la même façon, vous pouvez choisir la quantité de viande désirée, mais voyez tout de même à ce que la taille du morceau n'excède pas du cinquième du volume de la pyramide — l'énergie que la pyramide distribue dépend naturellement de sa taille, plus le volume de la pyramide est important, plus votre morceau de viande pourra aussi l'être. En vous servant de l'exemple de pyramide que je vous ai indiqué précédemment, vous pouvez choisir un morceau d'environ 25 grammes.

Enfin, en ce qui a trait à l'endroit où vous devriez placer ce morceau dans la pyramide, les points de vue sont partagés. Certains soutiennent qu'il suffit de le placer n'importe où dans la pyramide, alors que d'autres suggèrent de le déposer au centre et à environ un tiers de la hauteur, ce qui équivaut à l'emplacement de la chambre du roi dans la véritable pyramide.

Il ne reste plus, alors, qu'à laisser les jours passer (vous pouvez cependant vérifier une fois par semaine l'évolution du morceau de viande).

FICHE DE CONTRÔLE

Date de l'expérience : _____

Nom de l'expérience : La momification de la viande

Numéro de l'expérience : _____

Type/taille de pyramide : _____

Objectif de l'expérimentation : _____
_____

Matériaux et accessoires/description :

- _____
- _____
- _____
_____
_____

Informations supplémentaires : _____
_____
_____

Résultat obtenu : _____
_____

EXPÉRIENCE 5 :

LA CONSERVATION DES FRUITS

Cette expérience suit le même principe que l'expérience précédente, en ce sens que l'énergie de la pyramide déshydratera le fruit, le réduira en taille et en poids, tout en conservant son parfum et son goût. Bien sûr, ici encore, plus vous choisirez des fruits avec des taux d'humidité élevés, plus l'effet sera accentué et manifeste.

Lorsque l'on achète des fruits (cela est aussi valable pour les légumes), le fait de les placer dans la pyramide pendant environ une heure avant de les ranger au réfrigérateur leur permet de conserver plus longtemps leur fraîcheur ; pour ceux qui ne demandent pas de réfrigération, il suffit de les placer dans un bol, à l'intérieur de la pyramide, pour qu'ils se conservent pendant plusieurs semaines, voire même deux ou trois mois. Procédez de la même façon que dans l'expérience précédente quant à la taille du fruit et son emplacement — la présente pyramide pourra suffire pour une pomme, une pêche ou une orange, ou tout autre fruit de semblable dimension ; si vous souhaitez placer plusieurs fruits, vous devrez prévoir une pyramide de plus grande taille.

Si les expériences tentées en ce domaine visent essentiellement une meilleure conservation des fruits et des légumes, il n'en reste pas moins que l'on a aussi constaté, au fil des expériences, que leur goût était rehaussé. Plusieurs théories ont été avancées pour expliquer la façon dont cela pouvait se produire, la plus intéressante étant celle qui voudrait que la déshydratation augmente la concentration des agents actifs du goût. Si vous voulez tenter cette expérience, prenez n'importe quel fruit qui n'a pas atteint sa pleine maturité, et placez-le sous une pyramide pendant environ une douzaine d'heures avant de le déguster.

Précisons néanmoins, en terminant, que la durée et la qualité de la conservation ne sont pas exclusivement subordonnées à l'énergie de la pyramide, car d'autres facteurs entrent en ligne de compte, notamment le type de fruit, la proportion pyramide/fruit, la température, le taux d'humidité. De là l'importance, dans votre fiche de contrôle, de compléter le mieux possible la rubrique « informations supplémentaires ».

FICHE DE CONTRÔLE

Date de l'expérience : _____

Nom de l'expérience : La conservation des fruits

Numéro de l'expérience : _____

Type/taille de pyramide : _____

Objectif de l'expérimentation : _____
_____

Matériaux et accessoires/description :

- _____
- _____
- _____

_____

_____

Informations supplémentaires : _____
_____

_____

Résultat obtenu : _____

_____

EXPÉRIENCE 6 :
« L'ÉNERGISATION » DE L'EAU

Nombreux sont ceux qui disent que l'eau du robinet, qui provient des usines de traitement et de filtration, a un goût caractéristique qui la distingue de l'eau de source. Nous ne parlons pas de qualité car l'une et l'autre le sont tout autant, nous ne parlons donc pas de purification de l'eau (comme trop de gens ont tendance à le faire dans ce type d'expérience), mais plutôt de goût, donc de quelque chose d'éminemment subjectif. Mais que l'on apprécie le goût particulier ou que l'on préfère l'eau de source, les uns et les autres admettent et constatent cette différence. Mais si l'énergie de la pyramide ne purifie pas l'eau, elle n'en agit pas moins sur celle-ci en y « ajoutant » quelque chose qui est encore indéfinissable pour l'instant, mais que l'on peut goûter.

Pour cette expérience, et afin de mesurer l'effet de la pyramide, il convient ici d'utiliser deux verres d'eau prise au robinet. Pourquoi deux ? Si l'un servira pour l'expérience en tant que telle, l'autre agira à titre de « témoin » — l'eau contenue dans ce dernier se transformera elle aussi, naturellement, car son exposition à l'air lui fera graduellement perdre son chlore. Le verre d'eau qui sera placé dans la pyramide subira le même effet, mais ce processus sera accéléré en raison même de l'énergie générée par la pyramide. Une fois ce laps de temps écoulé, vous pourrez goûter l'une et l'autre de ces eaux et constater par vous-même les différences.

Ceux qui se sont déjà livrés à cette expérience affirment que l'eau placée sous la pyramide a alors le même goût que l'eau de source et qu'elle semble leur donner une certaine énergie, toutefois difficile à décrire en termes concrets.

FICHE DE CONTRÔLE

Date de l'expérience : _____

Nom de l'expérience : L'énergisation de l'eau

Numéro de l'expérience : _____

Type/taille de pyramide : _____

Objectif de l'expérimentation : _____
_____

Matériaux et accessoires/description :

- _____
- _____
- _____
_____
_____

Informations supplémentaires : _____
_____
_____

Résultat obtenu : _____
_____

EXPÉRIENCE 7 :
LE SOULAGEMENT ET LA DÉTENTE DES ANIMAUX

On affirme entre «initiés» que des recherches sont menées dans des laboratoires scientifiques relativement aux bienfaits curatifs que la pyramide pourrait avoir sur les animaux. Rumeur ou vérité? Difficile à dire puisqu'on ajoute immanquablement que ces laboratoires attendent d'obtenir des résultats concluants avant de faire paraître leurs conclusions. Cela dit, rien ne vous empêche de tenter vous-même l'expérience sur votre animal de compagnie, (chat, chien ou oiseau), car certains effets bénéfiques semblent avoir été constatés par ceux et celles qui s'y sont livrés. Dans certains cas la guérison était plus rapide, dans d'autres, cela réussissait à calmer un animal trop nerveux.

Dans le cas d'un animal laissé «libre» dans la maison, commencez par identifier l'endroit où il se repose l'après-midi — là où vous le retrouvez immanquablement lorsqu'il est silencieux et que vous le cherchez! Suspendez alors la pyramide tout juste au-dessus de cet endroit en la fixant au plafond avec une corde, de façon à ce qu'elle soit à environ un mètre au-dessus de votre animal (celui-ci ne doit pas pouvoir l'atteindre, ce n'est pas un jouet!). Il est possible que votre animal n'apprécie pas trop cet objet inattendu au début, mais essayez tranquillement de l'y habituer. Une fois que ce sera le cas, laissez ensuite la pyramide en place pendant environ une semaine, puis notez alors l'évolution du problème que vous souhaitiez régler. Si vous avez effectivement constaté une amélioration — ce qui devrait être le cas —, suspendez alors cette même pyramide, cette fois au-dessus de l'endroit où il passe ses nuits. Comme la pyramide agira plus longtemps, l'effet sera plus accentué.

Dans le cas d'un animal en cage, comme un oiseau ou un hamster, c'est encore plus facile car l'animal sera probablement complètement indifférent à ce nouvel accessoire qui s'ajoutera au décor.

N'oubliez pas de remplir votre feuille de contrôle pour mesurer l'évolution de votre animal.

FICHE DE CONTRÔLE

Date de l'expérience : _____

Nom de l'expérience : Le soulagement et la détente
                                              des animaux

Numéro de l'expérience : _____

Type/taille de pyramide : _____

Objectif de l'expérimentation : _____
_____

Matériaux et accessoires/description :

- _____
- _____
- _____
_____
_____

Informations supplémentaires : _____
_____
_____

Résultat obtenu : _____
_____

EXPÉRIENCE 8 :
L'AMÉLIORATION DE LA VIE EN AQUARIUM

Si vous possédez un aquarium, je vous suggère de mener cette expérience qui s'inscrit dans le même esprit que la précédente — vous serez sans doute étonné des résultats.

En suspendant une pyramide au-dessus d'un aquarium, on a constaté que l'on diminuait l'apparition des algues et des micro-organismes qui menacent la santé des poissons, qu'on évitait les morts prématurées et qu'on accroissait du coup leur longévité.

On ne s'explique pas, comme dans la majorité des expériences d'ailleurs, le comment et le pourquoi de ces effets, mais deux éléments semblent intervenir. D'abord, comme pour les autres animaux, la pyramide transmet une certaine énergie bénéfique aux poissons ; ensuite, comme la pyramide est suspendue au-dessus de l'aquarium, celle-ci agit non seulement sur les poissons, mais aussi sur l'eau. Voyez d'ailleurs à ce sujet l'expérience 6 sur l'énergisation de l'eau. L'effet combiné de l'énergie de la pyramide sur les poissons et sur l'eau pourrait expliquer pourquoi elle agit de façon particulièrement efficace dans ce genre de contexte.

Je vous invite donc à vous livrer à cette expérience, qui peut s'échelonner sur un laps de temps plus important que les précédentes — notez bien les différentes stades de l'expérience sur votre feuille de contrôle. Sans doute constaterez-vous au fil des jours et des semaines que l'eau de votre aquarium reste ou devient plus claire et que vos poissons ne meurent plus sans raison apparente.

Cela dit, malgré le pouvoir de la pyramide, vous ne devez pas pour autant cesser l'entretien normal de votre aquarium — et s'il ne s'agit pas d'un simple bocal où deux ou trois poissons évoluent, vous devrez aussi avoir un filtreur.

FICHE DE CONTRÔLE

Date de l'expérience : _____

Nom de l'expérience : L'amélioration de la vie
                           en aquarium

Numéro de l'expérience : _____

Type/taille de pyramide : _____

Objectif de l'expérimentation : _____
_____

Matériaux et accessoires/description :

- _____
- _____
- _____
_____
_____

Informations supplémentaires : _____
_____
_____

Résultat obtenu : _____
_____

EXPÉRIENCE 9 :
LE SOULAGEMENT DES MAUX DE TÊTE

Soyons clair : non, la pyramide ne guérit pas dans le sens littéral du terme, c'est-à-dire faire disparaître la maladie. Cela ne signifie toutefois pas qu'elle n'a pas d'effet sur l'être humain, rappelons-nous simplement, comme je l'ai souligné au premier chapitre, que le président-fondateur de Siemens, un homme pourtant raisonnable et cartésien avait constaté les effets physiques de la pyramide dès le XIXe siècle en ressentant un certain « courant » électrique. Depuis, d'innombrables expériences ont été menées en ce domaine et les conclusions semblent toutes converger dans une même direction : l'énergie générée par la pyramide et transmise à l'homme semble permettre à l'organisme de se régénérer plus rapidement et plus efficacement et ainsi contribuer au soulagement de différents maux et malaises.

L'utilisation la plus commune dans le domaine de la santé est le soulagement des maux de tête, car c'est en ce domaine que l'on a obtenu les résultats les plus concluants. D'après ce que l'on retient de la littérature publiée sur le sujet, l'énergie de la pyramide chasserait le stress et les tensions et permettrait ainsi ce soulagement.

Vous avez un mal de tête et vous souhaitez tenter l'expérience? Rien de plus facile! Vous avez seulement besoin d'une pyramide haute de 15 cm. Placez-vous face au nord et placez la pyramide (idéalement, ici, de carton) sur votre tête — bien sûr, comme cela peut avoir l'air ridicule, faites cette expérience discrètement, à l'abri des regards! Il arrive alors que la mal de tête disparaisse instantanément, mais cela peut aussi parfois prendre environ 30 minutes. Dans quelques autres cas, plus rares, les expérimentateurs ont constaté que le mal de tête restait présent tant que l'on gardait la pyramide sur la tête, mais qu'aussitôt qu'on la retirait, le mal de tête commençait à s'estomper pour finalement disparaître complètement après environ 30 minutes.

FICHE DE CONTRÔLE

Date de l'expérience : _____

Nom de l'expérience : Le soulagement des maux de tête

Numéro de l'expérience : _____

Type/taille de pyramide : _____

Objectif de l'expérimentation : _____
_____

Matériaux et accessoires/description :

- _____
- _____
- _____
_____
_____

Informations supplémentaires : _____
_____
_____

Résultat obtenu : _____
_____

EXPÉRIENCE 10 :
LE SOULAGEMENT DE LA DOULEUR

Un autre effet de la pyramide, souvent remarqué, est le soulagement de la douleur. Il existe naturellement plusieurs théories pour expliquer cet effet, et si aucune ne fait l'unanimité, toutes convergent néanmoins vers le fait que l'énergie de la pyramide surmultiplie l'énergie de l'organisme, lui permettant ainsi de réagir plus efficacement aux assauts extérieurs.

Lorsque l'on parle de soulagement de la douleur, cela peut aller des élancements provoqués par l'arthrite et les rhumatismes jusqu'à la douleur provoquée par des coups ou des contusions. Non seulement la douleur disparaît-elle, mais l'énergie de la pyramide provoque en outre, s'il s'agit de douleurs dues à des coupures ou des meurtrissures, l'accélération du processus de la cicatrisation. Attention ! Comme je l'ai souligné précédemment, il ne s'agit pas de cicatrisation instantanée (qui relèverait plus du miracle !), mais bien, plus simplement, une accélération du processus qui se produit normalement.

Pour vous livrer à cette expérience, il suffit de placer le membre douloureux ou la partie meurtrie à environ 10 cm sous une pyramide (une pyramide de 15 cm fera

parfaitement l'affaire) et de l'y laisser une trentaine
de minutes, quitte à recommencer un peu plus tard
si la douleur n'est pas totalement disparue. En ce qui
concerne l'accélération du processus de cicatrisation,
on fera de même, en plaçant la partie blessée à environ
10 cm sous une pyramide pendant 30 minutes et en
recommençant quotidiennement jusqu'à la cicatrisation
complète — vous constaterez que celle-ci se complétera
beaucoup plus rapidement que si vous n'aviez rien fait.

Seule petite mise en garde : même si la douleur
s'estompe, cela ne signifie cependant pas que la source
du mal ou du malaise est disparue, il convient donc
néanmoins de consulter un médecin pour traiter la ou
les causes de façon appropriée.

FICHE DE CONTRÔLE

Date de l'expérience : _____

Nom de l'expérience : Le soulagement de la douleur

Numéro de l'expérience : _____

Type/taille de pyramide : _____

Objectif de l'expérimentation : _____
_____

Matériaux et accessoires/description :

- _____
- _____
- _____
_____
_____

Informations supplémentaires : _____
_____
_____

Résultat obtenu : _____
_____

EXPÉRIENCE 11 :
L'AMÉLIORATION DE LA QUALITÉ DU SOMMEIL

Si vous souffrez de troubles du sommeil et que rien de ce que vous avez tenté jusqu'à maintenant ne vous a permis de régler votre problème et que vous avez toujours de la difficulté à connaître un sommeil réparateur, cette expérience pourrait sans doute vous être profitable car tous ceux qui s'y sont livrés — et qui ont ensuite généralement pris l'habitude de dormir de façon permanente sous une pyramide — reconnaissent qu'après quelques semaines ils s'endorment sans difficulté, connaissent un sommeil bénéfique et ont, en conséquence, moins besoin d'heures de sommeil qu'ils n'en avaient besoin auparavant.

Pour vous livrer à cette expérience, commencez par suspendre une pyramide haute de 15 cm au plafond, de façon à ce qu'elle se trouve approximativement à 50 cm au-dessus de l'endroit où repose votre tête lorsque vous dormez. En annotant votre feuille de contrôle à tous les jours, vous pourrez mesurer l'évolution de la qualité de votre sommeil. Si vous trouvez effectivement que la qualité de votre sommeil s'améliore, poursuivez l'expérience telle quelle ; en revanche, si vous avez de la difficulté à vous endormir, sans doute parce que vous vous sentez

trop fébrile, peut-être parce que l'énergie de la pyramide vous irradie de façon trop intense, remontez-là
alors d'environ 20 cm (c'est-à-dire à environ 70 cm de
votre tête). Essayez ainsi de trouver la distance entre la
pyramide et votre tête qui vous sera la plus bénéfique.
Lorsque l'équilibre sera trouvé, vous commencerez alors
à vraiment profiter de l'énergie de la pyramide et vous
ressentirez alors un plus grand bien-être.

L'effet de la pyramide, dans cette utilisation, risque
aussi de se manifester d'une autre façon. En effet, nombreux sont ceux qui, ayant eu recours à une pyramide
pour améliorer la qualité de leur sommeil, ont vu leur
perception du rêve se transformer. D'abord, les rêves
leur paraissent plus réels, plus «vivants»; ensuite, ils ont
une plus grande facilité à s'en rappeler.

FICHE DE CONTRÔLE

Date de l'expérience : _____

Nom de l'expérience : L'amélioration de la qualité
du sommeil

Numéro de l'expérience : _____

Type/taille de pyramide : _____

Objectif de l'expérimentation : _____
_____

Matériaux et accessoires/description :

- _____
- _____
- _____
_____
_____

Informations supplémentaires : _____
_____
_____

Résultat obtenu : _____
_____

EXPÉRIENCE 12 :
L'UTILISATION DE L'ÉNERGIE PSYCHIQUE

L'énergie de la pyramide ne fera pas instantanément un médium de vous, mais cette énergie est néanmoins reconnue pour accroître l'énergie psychique, que l'on appelle aussi énergie primale et qui revêt également d'autres noms dans d'autres systèmes de pensée. Comme je l'ai déjà souligné, l'accroissement de ce type d'énergie favorise la détente, ce qui signifie également, surtout, une augmentation de la force de concentration. En raison de cette particularité, si cette énergie pyramidale ne vous procure pas d'habiletés particulières dans le domaine du psychisme, elle aura cependant le pouvoir d'activer ces forces latentes à propos desquelles beaucoup s'entendent à dire qu'elles sont innées en chacun de nous, mais inexploitées, en vous permettant de surmonter certains blocages et faciliter la méditation ou le développement d'habiletés médiumniques.

Pour cet exercice, certains suggéreront l'utilisation d'une pyramide d'environ 1,5 mètre de haut, afin de pouvoir s'y assoir en son centre; pour ma part, je suggère, pour débuter, l'utilisation de deux pyramides comme celle expliquée au chapitre précédent. Suspendrez la première au-dessus de votre tête (au plafond) dans votre espace de «travail» (suivez les indications du chapitre suivant pour méditer) et la seconde au-dessus de l'endroit où repose votre tête dans votre lit lorsque vous dormez.

Comment saurez-vous si vous ressentez les effets de l'énergie de la pyramide?

Effectivement, il est plus difficile de mesurer concrètement ces effets car il s'agit ici de subjectivité. Néanmoins, en notant soigneusement l'état méditatif que vous obtenez (avant et après vous être soumis à une ou plusieurs séances d'exposition aux effets de la pyramide) ou encore en essayant d'analyser le plus objectivement possible les résultats que vous atteignez en matière de médiumnité ou de clairvoyance (toujours en comparant les résultats avant et après vous être soumis à une ou plusieurs séances d'exposition aux effets de la pyramide), vous devriez être en mesure de juger de ses effets.

FICHE DE CONTRÔLE

Date de l'expérience : _____

Nom de l'expérience : L'utilisation de l'énergie psychique

Numéro de l'expérience : _____

Type/taille de pyramide : _____

Objectif de l'expérimentation : _____
_____

Matériaux et accessoires/description :

- _____
- _____
- _____
_____
_____

Informations supplémentaires : _____
_____
_____

Résultat obtenu : _____
_____

Chapitre 5

COMMENT RESPIRER ET MÉDITER

Avant de vraiment méditer, il vous faut tout d'abord bien respirer et apprendre à vous détendre, car il serait vain de tenter de méditer, même avec l'aide de la pyramide, lorsque vous vous sentez stressé ou que vous êtes dans une pièce mal aérée. La respiration et la relaxation sont en fait des exercices préliminaires si importants qu'il arrive souvent qu'on les intègre aux différentes techniques, comme dans celle de l'atelier de transformation que je vous suggère ici.

La respiration vous permet de contrôler votre rythme cardiaque et le flot de sang qui circule dans vos veines, alors que la relaxation vous permet de placer votre corps physique dans un état de repos qui nécessite peu de surveillance de la part de votre conscience. La respiration contrôlée, ainsi que les exercices de relaxation, ajoutés aux effets de la pyramide, vous permettent de détendre votre esprit et de libérer votre conscience de tous les petits problèmes du quotidien qui vous empêchent de vous concentrer sur des problèmes plus essentiels à votre survie et à votre développement personnel. Il est capital de toujours prendre du temps pour effectuer ces exercices avant chaque séance de méditation proprement dite.

LA RESPIRATION

La respiration est le processus vital qui nous permet de rester en vie. On peut se passer de nourriture et même d'eau pendant quelque temps, mais on ne peut se passer d'air plus de quelques minutes. C'est une fonction si naturelle que l'on y accorde habituellement peu d'attention et, pourtant, la respiration est une clé très importante pour notre bien-être, tant physique que spirituel. Mais au-delà du fait que cesser de respirer équivaut à cesser de vivre, la respiration constitue également un de nos outils de transformation les plus précieux. Grâce à celui-ci, nous brûlons des toxines, nous relâchons des tensions et des émotions, nous changeons la structure de notre corps, ainsi que celle de notre conscience.

Il existe plusieurs techniques de contrôle de respiration, en voici une très simple qui donne d'excellents résultats et peut se pratiquer n'importe quand lorsque vous voulez rétablir le calme en vous et atténuer l'impact ou l'influence du stress.

Concentrez-vous sur votre respiration; inspirez en comptant lentement jusqu'à quatre, puis retenez votre respiration en comptant lentement jusqu'à deux. Expirez alors lentement, en comptant jusqu'à quatre. Gardez vos poumons vides en comptant jusqu'à deux. Et vous recommencez: inspirez sur le compte de quatre, gardez l'air dans vos poumons sur le compte de deux, expirez lentement sur quatre temps et gardez vos poumons libres en comptant jusqu'à deux. Au début, cela peut sembler un peu difficile, mais vous en prendrez vite l'habitude. Répétez ce rythme jusqu'à ce qu'il devienne spontané.

Si ce rythme ne vous convient pas, pratiquez l'exercice jusqu'à ce que vous ayez trouvé le rythme qui vous est le plus facile, allongez ou raccourcissez les temps de compte. Il n'existe pas de rythme meilleur que les autres, ce qui importe c'est que vous découvriez la mesure qui vous convient le mieux.

Méthode de respiration rythmique

Assurez-vous qu'aucun tic-tac de montre ou de pendule ne vous dérange la première fois où vous pratiquez cet exercice. Vous devez trouver votre propre rythme, et non suivre celui d'une mécanique quelconque. Je vous suggère d'adopter la position assise, sous la pyramide suspendue, pour cette première expérience de respiration rythmique, une posture d'autant plus idéale qu'elle aide à bien comprendre le mécanisme de cet exercice.

Installez-vous confortablement et écoutez attentivement les battements de votre cœur ; il se peut que vous ayez quelques difficultés à les isoler au début, c'est normal, car vous les avez ignorés, délibérément, depuis longtemps. Si, après quelques instants, vous n'arrivez pas à les ressentir, cherchez votre pouls au niveau de la carotide. Dès que vous arrivez à suivre votre rythme cardiaque, comptez les battements de votre cœur et cela vous permettra de trouver votre rythme de respiration personnel. Si votre rythme cardiaque vous semble trop rapide, prenez de grandes respirations et, si nécessaire, allongez-vous quelques minutes pour établir un rythme plus lent.

Le principe est relativement simple : vous devez trouvez un rythme respiratoire qui vous permettra d'observer, avec le maximum de confort, l'ordre suivant.

1. Inspirer à fond.

2. Garder l'air dans vos poumons pendant un certain nombre de battements.

3. Expirer lentement pendant le double du nombre de ces battements.

4. Garder vos poumons vides pendant le même nombre de battements qu'au début.

5. Inspirer lentement pendant le même nombre de battements que vous avez mis à expirer.

6. Recommencer.

Le rythme-type pourrait correspondre à ce qui suit :

1. Inspirer pendant quatre battements.

2. Garder l'air dans vos poumons pendant deux battements.

3. Expirer pendant quatre battements.

4. Garder vos poumons vides pendant deux battements.

5. Inspirer pendant quatre battements.

Cela dit, le rythme que vous choisirez n'a pas vraiment d'importance, en autant qu'il soit régulier et que vous le maîtrisiez parfaitement — il ne s'agit pas de réaliser des performances ou de briser des records d'endurance. Au début, il est fort probable que le rythme trois-six soit le plus confortable, quoi qu'il est important de noter qu'il est inutile d'inspirer ou d'expirer sur un compte de six avant de pouvoir garder vos poumons vides pendant un compte de trois. Vous constaterez néanmoins que votre capacité respiratoire s'améliorera avec le temps et la pratique.

La méditation du jardin intérieur est un exercice qui vous permet de créer, dans votre esprit, un endroit symbolique, où règne le calme et la détente. Une fois que vous avez construit votre jardin intérieur, vous pouvez y retourner sans effort. C'est un lieu privilégié, une retraite sacrée où vous pouvez trouver le calme et la sérénité. Lorsque vous devez faire face à une situation stressante ou que des événements bouleversent votre vie, vous pouvez vous réfugier quelques minutes dans le calme et la paix de ce jardin intérieur afin de vous ressourcer, et même de demander conseil à vos guides spirituels.

EXERCICE

Installez-vous confortablement sous la pyramide suspendue et prenez une grande respiration ; permettez à votre esprit de se détendre, sans vous arrêter sur quoi que ce soit en particulier. Détendez les muscles de votre nuque, de vos épaules et continez jusqu'à ce que tout votre corps soit complètement détendu. Votre esprit peut vous sembler un peu agité au début, mais n'y portez pas trop attention. Lorsque vous sentez votre conscience prendre le dessus, contentez-vous de respirer profondément, en vous concentrant sur votre respiration et sur la détente. Vous n'avez pas à recommencer le processus au complet, il suffit de continuer où vous étiez rendu.

Commencez un premier compte à rebours de 21 à 1, en visualisant chaque chiffre comme une marche qui descend — efforcez-vous d'ailleurs de visualiser ou d'imaginer le plus clairement possible les marches qui descendent vers une porte.

À chaque décompte, à chacune des marches que vous franchissez, voyez et sentez vos muscles se détendre, vos battements du cœur ralentir ; ressentez la texture des marches sous vos pieds. Si vous éprouvez de la difficulté à visualiser les premières étapes, ne vous en faites pas, prenez tout simplement la peine de les imaginer comme si vous vous racontiez une histoire (par exemple : «Je descends la 21e marche, je sens la texture de la pierre sous mes pieds ou mes chaussures...»).

Durant ce compte à rebours, laissez-vous aller le plus possible avec chaque nombre ; descendez chacune des marches pour aller rejoindre le cœur de votre essence personnelle. Visualisez votre noyau central comme un cœur vivant et solide, vous pouvez l'imaginer sous la forme que vous désirez, mais rappelez-vous que quelque soit votre image, celle-ci doit posséder une forme substantielle, tangible et vivante. Durant ce compte à rebours, vous pouvez aussi faire des pauses, vous arrêtez tous les trois chiffres, par exemple, pour prendre conscience de l'état de votre corps, de vos muscles, de vos nerfs, c'est une excellente façon d'apprendre à vous détendre encore plus profondément.

Une fois que vous êtes arrivé au chiffre 1, vous devriez avoir atteint un niveau de détente intérieure complète. Commencez alors à visualiser une scène de la nature, une forêt, un champ, un jardin, un bord de la mer, ce qui vous plaît ou convient à votre humeur du moment. Il faut que cet endroit vous appartienne totalement et que vous soyez responsable de la création de chacun des détails qui le compose. Il s'agit de votre retraite personnelle, d'un endroit qui vous ressemble et où vous vous sentirez complètement à l'aise. Prenez le temps que vous voulez pour le faire — cela pourra d'ailleurs même exiger plus d'une séance de méditation, et à chaque fois que vous y retournerez vous pourrez y ajouter d'autres détails.

En état de détente, ressentant un calme complet, visualisez-vous ou imaginez-vous dans la scène que vous avez créée; prenez plaisir à marcher dans la forêt ou à nager dans la mer. Une fois l'action mise en marche, vous pouvez continuer aussi longtemps que vous le désirez, sans vous laisser envahir par les pensées de votre conscient. Laissez-vous aller, tout simplement; imaginez et détendez-vous.

Une fois votre méditation achevée, pour revenir, il suffit d'imaginer votre escalier de 21 marches qui retourne à la réalité. Avec le temps, vous arriverez à vous rendre dans votre jardin seulement en y pensant.

Vous constaterez aussi, rapidement, que c'est une merveilleuse façon de vous ressourcer.

Chapitre 6

La grande expérimentation :
la pyramide à souhaits

Si j'aborde cet aspect dans un chapitre distinct c'est simplement que cette expérience n'est pas très «matérielle», ni scientifique, en regard des expériences précédentes. Mais comme la parapsychologie et la paraphysique tendent de plus en plus à s'imposer comme une nouvelle façon de voir les choses et comme, en outre, ce livre est avant tout consacré à l'expérimentation avec les pyramides, je crois néanmoins intéressant d'aborder la question.

La pyramide a longtemps été un symbole égyptien de puissance et de sagesse occulte. Il ne faut pas oublier que si certaines pyramides furent des tombeaux, la plupart d'entre elles doivent plutôt être considérées comme des temples initiatiques. Aussi ne faut-il pas s'étonner que les pyramides (et même leur représentation) aient été reprises par de nombreuses disciplines ésotériques et paranormales. Mais peut-on aller jusqu'à dire que la pyramide, ou l'énergie de la pyramide, peut à elle seule modifier les événements ? Sans doute pas, soyons honnêtes, mais si celle-ci est utilisée avec d'autres techniques visant à modifier le cours des événements, cela peut effectivement être possible.

Comment faire ? vous demandez-vous. Il existe différentes façons de passer à l'action, de la plus simple à la plus complexe. La plus simple consiste simplement à rédiger votre souhait sur un morceau de papier — sous forme d'une affirmation — et le glisser dans la pyramide, sur une petite plate-forme, de façon à ce que le papier se retrouve à environ un tiers de la hauteur à partir de la base, à la position qui correspond à la chambre du roi que nous avons précédemment évoquée. Bien sûr, vous veillerez aussi à ce que votre pyramide soit correctement orientée. Cela dit, si vous ne faites que cela, il y a peu de probabilité que votre souhait se concrétise, car vous devez aussi le renforcer par une autre technique, la plus simple étant la visualisation.

QU'EST-CE QUE LA VISUALISATION ?

Visualiser, c'est voir avec les yeux de l'esprit. La visualisation (ou imagerie mentale) est sans doute un des outils les plus utilisés par les créateurs, artistes, inventeurs, savants et chercheurs mais aussi par les sportifs, les millionnaires, les gagnants et les champions toutes catégories confondues. Employée adéquatement, la visualisation, qui sollicite l'imagination, la créativité et l'inventivité, peut accomplir des « miracles ». En effet cette technique, ajoutée à l'énergie de la pyramide, contribue à accroître votre acuité intuitive en instaurant, entre vous et votre subconscient, un mode de communication clair et net dans un langage universel, c'est-à-dire celui des images.

La visualisation est sans limite. Vous êtes seul maître de la destinée que vous vous souhaitez ; il vous est possible d'écrire le scénario que vous désirez, de le mettre en scène, de le modifier en cours de route, d'y ajouter des tableaux, bref, de créer mentalement n'importe quel chef-d'œuvre et faire en sorte, grâce à la répétition et l'énergie de la pyramide, qu'il devienne réalité. Mariage heureux de l'autosuggestion et de l'imagerie, la visualisation participe activement à la reprogrammation de votre subconscient.

Tout comme pour la méditation, la visualisation doit se dérouler dans le calme et le silence. Là encore, il faut d'abord faire le vide, c'est-à-dire arriver à faire cesser le tumulte intérieur et faire abstraction de tout ce qui n'est pas le sujet de la visualisation (ici le souhait que vous voulez voir se concrétiser). Il faut laisser passer, couler, glisser les pensées qui vous viennent en ne leur accordant aucune importance, aucune attention. Vous devez demeurer indifférent à leurs assauts, imperturbable à leurs suppliques. Et quand le tintamarre cesse alors c'est que le terrain est prêt et que vous pouvez commencer les semailles, c'est-à-dire d'imprimer des images dans votre subconscient jusqu'à ce que, par son incommensurable pouvoir et le support de l'énergie de la pyramide, il les matérialise. À cet égard, la répétition est essentielle, car le subconscient est semblable à un jeune enfant indiscipliné : vous devez lui répéter souvent la même chose avant qu'il n'obtempère.

Pendant une vingtaine de minutes par jour, sous une pyramide suspendue (dans laquelle vous aurez placé votre souhait, comme indiqué précédemment), faites se dérouler, en esprit, un film dans lequel ce que vous avez inscrit sur papier se réalise. Imaginez-vous en train de dire, de faire et d'être ce que vous désirez dire, faire ou être et d'en récolter la satisfaction, les honneurs et les bienfaits. Vous avez un problème de santé? Imaginez-vous en train de parler avec votre médecin qui vous dit que vous êtes complètement guéri! Éprouvez la joie de l'être vraiment. Vous souhaitez obtenir quelque chose? Imaginez que vous recevez l'objet de vos désirs, que vous le touchez, l'appréciez. N'interrompez jamais votre visualisation par des objections rationnelles et soi-disant raisonnables. Faites repasser votre film jusqu'à ce qu'il soit véritablement devenu réalité.

UN PROCESSUS COMPLEXE

Et est-ce que cela fonctionne vraiment? Oui, quoique dans certaines limites, bien entendu — par exemple, ne demandez pas de gagner à la loterie! Mais vous pourriez être étonné des résultats que vous obtiendrez, des résultats concrets. Et il ne s'agit pas de «miracles», mais simplement d'un processus naturel qui réfère à ce que l'on appelle la «méthode Alpha» et qui s'inspire de l'idée que le subconscient ne fait pas la différence entre les situations vécues et imaginaires, la vérité ou le mensonge. Le subconscient accepte, simplement, ce qu'on lui dit lorsqu'on visualise (ou lorsqu'on médite).

En voici l'explication. Notre cerveau fonctionne à certaines fréquences, c'est-à-dire la fréquence du courant ou des influx nerveux qui passent d'un neurone à l'autre. Lorsque nous sommes éveillés nous fonctionnons généralement sur la fréquence bêta — lorsque nous disons que l'individu moyen n'utilise qu'environ 10 % de la capacité de son cerveau, de son potentiel, c'est justement en référence à ces ondes bêta, celles dont nous nous servons dans la vie de tous les jours. Lorsque nous nous concentrons ou faisons fonctionner notre imagination, les fréquences de notre cerveau changent et nous entrons alors dans un autre niveau dont la fréquence est plus basse.

Pour faire contact avec ce côté plus instinctif de notre cerveau, nous devons donc modifier notre degré de conscience ; la façon la plus simple et la plus naturelle de le faire est de détendre notre corps et de stopper la circulation de nos pensées conscientes, tout en bloquant les bruits et les sensations provenant de l'extérieur. Ensuite, grâce à la visualisation, influencée positivement par l'énergie de la pyramide, nous pouvons développer de nouveaux modèles subconscients qui nous permettront de concrétiser ce que nous désirons. Cela se fait en quelque sorte «naturellement», car les suggestions que nous faisons à notre esprit durant les phases alpha sont relayées à notre corps et à notre conscient qui, eux, les mettent en branle. Si nous implantons la suggestion de réaliser une tâche, c'est le conscient qui s'en chargera, mais avec les idées que lui fournira le subconscient; si nous voulons perdre du poids, c'est le corps qui va perdre les graisses grâce aux impulsions que lui adressera le subconscient.

Si cela relève du parapsychologique, cela ne s'explique pas moins d'un point de vue neurologique. Voici comment. Une fois que nous avons implanté la suggestion de détente, notre système nerveux en fait aussitôt l'expérience, en enclenchant les changements rattachés à cet état; les extrémités de nos nerfs, souvent à vif et surexcités, se calment et l'activité synapsique s'effectue de façon plus harmonieuse. À chaque fois que nous visualisons ou imaginons notre corps qui se détend, nous invitons notre système nerveux à s'apaiser et à fonctionner d'une façon harmonieuse. D'autres changements s'effectuent également parce que, comme nous sommes responsables de nos pensées, celles-ci interviennent sur et dans le fonctionnement de notre corps. En conséquence, nos pensées influencent le taux de sucre dans notre sang, notre circulation sanguine, notre métabolisme, comme toutes les autres fonctions dites automatiques de notre organisme. Ainsi, lorsque nous fonctionnons à une fréquence alpha, nous agissons donc directement sur ces fonctions et les influençons positivement, sans créer de stress inutile — notre esprit conscient étant au repos et en accord avec notre subconscient. Ce faisant, nous procédons à une réalisation profonde de la dualité de notre esprit, une prise de conscience à l'effet que c'est le subconscient qui résout ces problèmes qui semblent insolubles à notre conscient.

Le processus peut sembler complexe, il l'est sans doute dans sa forme, mais son objectif, lui, est simple : il s'agit simplement, pour le conscient, de faire appel à un « intervenant » qui n'est pas limité ni par les préjugés ni par les rationalisations, ni par les barrières du vocabulaire.

Chapitre 7

LA MAGIE RITUELLE ÉGYPTIENNE

C'est à la jonction du monde des vivants et de celui des morts que repose la pratique de la haute magie. Le pouvoir dont le mage dispose est extraordinaire puisqu'il peut s'assurer l'aide d'êtres surnaturels — spécialement des dieux et des déesses —, avant de s'en libérer, pour agir sur le monde concret.

Contrairement à ce qu'on serait porté à croire, la magie, — quel que soit le nom qu'on lui donne, magie blanche, magie noire, wicca, sorcellerie —, n'est pas quelque chose de nouveau, même si, effectivement, il s'agit d'une discipline qui semble aujourd'hui renaître de ses cendres, puisque les tout premiers manuels de magie rituelle nous viennent des anciens Égyptiens. À cette époque, pour cette civilisation, les pharaons étaient ni plus ni moins considérés comme des dieux qui côtoyaient leurs sujets et qui, au moment de leur décès, s'en retournaient mener une existence conforme à leur nature divine. Selon les historiens et les preuves accumulées par les archéologues, les premières cérémonies de magie rituelle se seraient d'ailleurs déroulées au IIIe siècle avant Jésus-Christ avec justement, pour but, d'aider les pharaons à opérer cette transformation. Les rites funéraires, scrupuleusement colligés dans un recueil intitulé *Le Livre des morts*, ont d'ailleurs joué un rôle prépondérant dans la conception des rituels, sortilèges et autres charmes magiques dans les civilisations qui devaient suivre. À l'origine, elles revêtaient toutefois un caractère religieux car il s'agissait quasi exclusivement de pratiques et de cérémonies qui étaient dédiées aux dieux et aux déesses du panthéon.

Ce *Livre des morts* — dans lequel étaient regroupés les cérémoniels, les rituels et les incantations — ne se présentait pas, à cette époque, sous la forme d'un livre, mais plutôt sous celle de rouleaux de papyrus. Au fil des siècles, on en retrouva des centaines à travers tout le pays et leur contenu fut finalement réuni dans un ouvrage auquel on donnerait justement le nom de *Livre des morts*. Bien que les papyrus soient datés de différentes époques et qu'ils aient été découverts dans des lieux aussi éloignés les uns des autres, leur contenu ne variait guère. Certains des charmes, hymnes, incantations ou prières qu'on y trouvait visaient à justifier l'identité du défunt en tant que divinité afin qu'on l'accueille comme tel dans l'au-delà, alors que d'autres étaient destinés à le protéger contre tous les dangers.

Au fil des siècles, la pratique de la magie s'est répandue parmi toutes les classes de la société, lesquelles voulaient également s'attirer les bonnes grâces des « puissances supérieures », aussi la conception de ces papyrus est-elle devenue une activité prisée. Les scribes, responsables de leur élaboration, étaient toujours prêts à vendre à qui le leur demandait ces rouleaux qui contenaient des rituels pour conserver les corps dans les tombes ou favoriser la nouvelle vie dans le royaume des morts, ou encore, plus trivial, s'attirer la faveur des dieux dans des entreprises familiales, amoureuses, voire même commerciales. La pratique de la magie se démocratisait en quelque sorte...

Les Égyptiens, comme d'ailleurs les civilisations qui les avaient précédées et bien d'autres qui allaient suivre, entretenaient des rapports singuliers avec leurs dieux, qu'ils voyaient habiter le ciel, les forêts, les cours d'eau, les animaux, bref tout ce qui faisait partie de la nature. Cela dit, pour eux, les dieux ne se distinguaient pas des humains sur certains aspects ; par exemple, ils pouvaient être flattés ou menacés, charmés ou achetés. De là leur foi dans l'utilisation des rituels et des sortilèges qui leur permettaient de s'en assurer les services.

Ces pratiques n'allaient être connues des Européens que bien des siècles plus tard et, encore, seulement à travers les interprétations et les explications qu'allaient en donner les magiciens et autres savants grecs, fascinés par ces pratiques égyptiennes. Aussi fallait-il en prendre et en laisser. Ce n'est que vers la fin du XIXᵉ siècle que des érudits et lettrés occidentaux reconstitueront la véritable teneur de ces rouleaux de papyrus pour alors être en mesure de comprendre la portée du *Livre des*

Morts, quoique cette entreprise restera toujours imparfaite et incomplète puisque, d'une part, certains extraits ont été restitués de façon vague et imprécise et, d'autre part, que bien des textes sont restés introuvables.

FAITS ET MYTHES

Si les premiers manuels viennent des anciens Égyptiens, il ne faut cependant pas croire que ce sont eux qui ont «inventé» la magie. En fait, personne ne peut dire avec exactitude quand elle a vu le jour, tout au plus peut-on affirmer qu'elle est antérieure à la religion. Mais nonobstant son origine, de nombreux écrits témoignent de son importance et du rôle déterminant qu'elle a notamment joué en Égypte, avant d'essaimer les contrées voisines, puis les pays limitrophes et le reste du monde. Si c'est en Égypte que la haute magie a en quelque sorte obtenu ses lettres de noblesse, cela n'est sans doute pas étranger au fait que, dans l'Égypte ancienne, les hiéroglyphes, qui étaient le privilège des prêtres magiciens, étaient qualifiés de «langage des dieux». Un texte égyptien dit d'ailleurs, à ce propos: «Le mot est le principe de toutes choses, la source de tout ce que nous aimons et détestons, l'essence de la vie. Rien n'existe avant d'avoir été énoncé clairement.» Cela constitue l'essence même de l'incantation et la raison pour laquelle elle doit être suivie fidèlement.

En acceptant l'idée que des mots « magiques » sont utilisés pour la pratique de la magie, on accepte du même coup l'idée qu'elle puisse agir sur les esprits et les corps. Cette idée est d'ailleurs toujours si bien ancrée que les mages (ou quel que soit le nom qu'on leur donne) d'innombrables cultures et sociétés du monde entier continuent de s'inspirer de ces pratiques séculaires en rédigeant des sortilèges sur toutes sortes d'objets, de la feuille d'arbre aux aliments, et en les faisant ingurgiter par les personnes qui les consultent en guise de cure.

J'ai évoqué, au tout début de ce chapitre, les termes de magie blanche et de magie noire, ce n'est pas en vain, parce que la croyance dans ce type de magie est également très ancienne et tire son origine, selon ce qu'on en croit, de cette même région du Moyen-Orient. Les tablettes d'argile de la bibliothèque royale de Ninive, l'ancienne capitale de l'Assyrie (l'Empire assyrien couvrit une superficie sans précédent, incluant la Mésopotamie, l'Anatolie du Sud-Est, la Syrie, la côte méditerranéenne, l'Égypte et l'Iran occidental), révèlent comment les thaumaturges pouvaient tuer une victime d'un simple regard. Selon ces tablettes, la malédiction contenue dans ce regard « agit sur l'homme de la même façon qu'un mauvais démon. Cette vois hurlante fond sur lui ; ses inflexions maléfiques l'assaillent de toutes parts. L'imprécation opère son œuvre destructrice. » Mais il est d'autres témoignages qui émanent de l'Égypte elle-même ; par exemple, lorsque quelqu'un avait été lésé ou offensé, il pouvait agir sur son ennemi en fabricant une statuette de terre cuite ou de cire, à l'image de la victime, et lui infliger alors la peine méritée. Ces statuettes ne servaient toutefois pas que dans des buts sombres ou vengeurs, on s'en servait aussi dans les pratiques de la magie blanche. Les sorciers assyriens, par exemple, avaient recours à celles-ci pour guérir la maladie, en commandant aux esprits maléfiques de quitter le corps du malade pour emprunter celui de la statuette. Elles pouvaient aussi servir à chasser les fantômes qui hantaient les vivants. Pour ce faire, les mages sorciers faisaient écrire à la victime le nom du fantôme sur le côté gauche de la statuette, puis la lui faisaient glisser dans une corne de gazelle, avant de l'ensevelir à l'ombre d'un câprier.

Chaque maladie comme chaque malédiction avait son sortilège ou son charme, son rituel et son incantation spécifique, dont il fallait d'ailleurs suivre minutieusement le déroulement. En ce sens, lorsque l'on dit que la magie fut à l'origine de la première médecine, nous ne faisons que confirmer ce que l'on croyait à l'époque. Un texte égyptien précisait d'ailleurs, à ce sujet : « Pour traiter un malade, il faut être expert en magie, connaître les formules incantatoires appropriées et savoir fabriquer des amulettes afin de maîtriser la maladie » — dit autrement, cela pourrait donner, dans le contexte actuel de la médecine : pour traiter un malade, il faut être expert en connaissance de l'anatomie, connaître les médicaments et savoir les prescrire... Mais ce n'est pas le seul parallèle que l'on peut établir entre ces sorciers-prêtres-médecins, puisque quiconque souhaitait le devenir recevait une formation et un apprentissage rigoureux qui s'échelonnait sur de longues années. Ce n'est qu'une fois en pleine maîtrise de son art qu'il pouvait entreprendre des cures ou des psychothérapies. En ce sens, il n'est pas étonnant que ceux qui œuvraient dans certains domaines ou occupaient certains métiers, comme les médecins-guérisseurs, les herboristes, les forgerons, mais aussi les fossoyeurs, semblaient prédisposés à devenir mage. Formé à des techniques «mystérieuses» ou complexes dont seuls les initiés étaient au courant — les médecins-guérisseurs obtenaient des résultats qu'on qualifiait de miraculeux, les herboristes concoctaient des potions et des mixtures dont les effets étaient incontestables, les forgerons maîtrisaient les secrets de la transformation des métaux et les fossoyeurs avaient tout le loisir de recueillir les touffes de cheveux et les rognures d'ongles de leurs clients pour les utiliser contre eux.

Aussitôt que ces êtres avaient fait la démonstration de leurs pouvoirs surnaturels, donnant du même coup l'impression de maîtriser des forces qui échappaient aux communs des mortels, le sorcier se voyait considéré comme un être à part, auquel on accordait en outre un certain nombre de spécificités : un regard perçant, une voix grave, presque toujours marqué d'une caractéristique physique détonnante et une facilité naturelle de tomber facilement en extase et d'y entraîner son assistance.

Tout cela était aussi amplifié par les récits et le bouche-à-oreille, car tout semblait être possible. Certains magiciens lévitaient, apparaissaient simultanément à plusieurs endroits, se métamorphosaient en animal, effectuaient des voyages dans le monde des morts. Plus les exploits devenaient fantastiques, moins les gens cessèrent de se montrer sceptiques. Et plus on croyait en leurs pouvoirs, plus on allait les consulter pour des raisons toutes autres que celles qui prévalaient à l'origine, c'est-à-dire la préparation et l'accompagnement des décédés au royaume des morts. On se mit à les consulter pour des problèmes amoureux et des problèmes commerciaux. Plus rien ne leur était impossible.

Quelle que soit la véracité de ces faits, voire même la nature de la magie, on peut affirmer sans crainte qu'elle confère effectivement des pouvoirs, ce qui explique pourquoi sa pratique n'a jamais cessé. Que ses effets soient la résultante de moyens surnaturels ou qu'elle soit simplement fondée sur la suggestion, la magie agit ; elle semble capable de tuer, de blesser, de rendre malade ou au contraire de guérir, de faire éclore l'amour, voire rendre prospère.

UNE DISCIPLINE NOBLE

Bien entendu, hier comme aujourd'hui, il s'est toujours trouvé des charlatans dans cette «discipline», mais la plupart des mages ont toujours pris leur rôle au sérieux et visé des objectifs nobles. D'ailleurs, très tôt, les praticiens ont eux-mêmes établi une classification visant à chasser toute ambiguïté; les mages ou sorciers sont ainsi placés sous l'une ou l'autre de ces trois catégories : le sorcier de caste inférieure qui agit essentiellement avec l'intention de nuire; celui de caste intermédiaire dont l'esprit est plus élevé, mais qui pratique néanmoins son art dans le but de parvenir à des résultats physiques (même s'ils ne sont pas admis par les autres); enfin, le mage de caste supérieure qui, lui, utilise ses connaissances pour tenter de découvrir le véritable sens de la vie.

Je terminerai ce chapitre par l'extrait d'un papyrus qui dictait les cinq règles de conduite d'un mage :

- Un Maître en magie doit posséder la foi et ne jamais douter de son travail.

- Il doit être discret et ne dévoiler à personne les secrets de son art, hormis aux membres de sa corporation et de son conseil.

- Il doit posséder un esprit fort, rigoureux et résolu.

- Il doit avoir la conscience libre, se repentir de ses erreurs et ne plus les refaire, dans la mesure où les dieux lui accordent la grâce.

- Il doit toujours être en possession de la totalité de ses instruments et énoncer les choses clairement et simplement ; il doit tracer son cercle dans une atmosphère propre et en temps voulu.

« Celui qui observera ces règles recevra assurément la bénédiction des dieux et parviendra à ses fins », conclut cet auteur anonyme.

Chapitre 8

DIEUX ET DÉESSES ÉGYPTIENS

On recense approximativement plus d'une centaine de divinités dans le panthéon des dieux égyptiens, mais même si tous ne revêtaient pas la même importance, ni la même signification, les rapports des Égyptiens avec leurs dieux et leurs déesses s'exprimaient quotidiennement à-travers des rituels conduits privément, mais aussi parfois en groupe.

Voici donc ces dieux et ces déesses le plus significatifs, dont nous reverrons certains au prochain chapitre consacré à des rituels pratiques.

Amémet

La déesse Amémet est représentée avec la partie postérieure d'un hippopotame, la partie antérieure d'un lion et la tête d'un crocodile. Lors de la pesée des cœurs dans l'au-delà, elle « dévorait » ceux des personnes jugées coupables.

Amon

Dieu du labyrinthe de Karnak, on le rencontre déjà dans les *Textes des Pyramides*, où il revêt l'aspect d'un homme portant une coiffe ornée de deux longues plumes. Il était associé au dieu Rê et vénéré sous la forme du dieu Amon-Rê, l'une des formes du dieu solaire, parfois représenté comme un sphinx, ou un humain à tête de faucon. Amon signifie « le caché » ou « le caractère caché de la divinité », tandis que Rê signifie « le soleil » ou « la divinité que manifeste la puissance du soleil ». Le dieu Amon-Rê incarne ces deux idées : le pouvoir invisible toujours présent et la lumière éclatante de la force divine qui assure la vie. Il est à noter que Rê est parfois épelé Râ.

Anubis

Anubis, un dieu loup, présidait à l'embaumement et accompagnait les rois défunts dans l'au-delà. Lorsque les rois paraissaient devant Osiris pour être jugés, Anubis plaçait leur cœur sur un des plateaux d'une balance, et une plume (représentant Maât) sur l'autre ; le dieu Thot enregistrait le résultat, dont dépendait le droit du roi d'accéder à l'au-delà.

Aton

Dieu cosmique primordial, Aton est le dieu solaire en tant que créateur, la substance de laquelle est tirée toute la création. Il baigne l'univers dans la beauté et procure la jeunesse, la vigueur et la joie de vivre.

Bastet

Chatte, ou femme à tête de chat, elle est gardienne du foyer et assure la fécondité, elle peut d'ailleurs être féroce pour défendre ses acquis. Elle est l'opposée de Sekhmet, la lionne farouche et agressive.

Bes

C'est un nain hirsute et débridé, dont le visage lippu a l'apparence d'un masque caricatural, porte un bouquet de plumes planté dans la chevelure et un serpent en guise de ceinture. Malgré son allure à la limite du grotesque, il est associé à la sexualité et à l'accouchement et, surtout, il se veut le protecteur de la famille.

Geb

Frère-époux et contrepartie de Nout, père de la famille osirienne, Geb, dieu terrestre, est à l'origine de tous les dons de la terre, végétaux comme minéraux.

Hâpy

Hâpy, est un dieu androgyne, représenté comme un homme aux cheveux ornés de plantes tenant une table d'offrande garnie des produits de la terre. Ses dons — c'est lui qui, en assurant la crue annuelle du Nil, apportait l'abondance — entretiennent la vie et représentent symboliquement le renouvellement périodique.

Hathor

Fille de Rê et l'épouse d'Horus, le dieu faucon céleste, elle est incontestablement la plus éblouissante des déesses et peut emprunter différents aspects, mais qui afficheront toujours les cornes torsadées et les oreilles de la «grande vache de la Voie lactée». Elle est également considérée comme la mère de chaque roi régnant, tout comme la déesse Isis. La personnalité d'Hathor est double : sous son aspect vengeur, elle prit l'apparence léonine de la déesse Sekhmet et tenta de détruire l'humanité après la révolte décrite dans le mythe de la création ; sous sa forme bovine, elle est associée à la sexualité, la joie et la musique.

Heket

Symbolisée par la grenouille, dont elle prend l'apparence, elle n'en est pas moins la «mère royale» dans son sanctuaire de Kous. Elle est reconnue pour maintenir les corps vigoureux et, dans le royaume des morts, elle s'impose comme la garante de la renaissance sur un plan supérieur.

Horus

Horus, le dieu à tête de faucon, auquel il est associé, et dont le nom signifie «celui qui est au-dessus» tout autant que «celui qui est loin», est l'un des symboles les plus communs de l'Égypte. On le retrouve tant sur les avions égyptiens que sur les hôtels et les restaurants de tout le pays. Fils d'Osiris et d'Isis, enfant divin de la triade sacrée, son corps représente le ciel, et ses yeux le soleil et la lune. Représenté d'une couronne avec un cobra, il symbolise la lumière et la royauté et a pour fonction de protéger la personne du danger. Il se métamorphose aussi sous différentes formes.

Isis

Isis incarne le pouvoir qu'a l'amour de vaincre la mort. Elle ramena son frère-époux, Osiris, à la vie et sauva son fils Horus d'une mort certaine. Elle est représentée la tête surmontée du hiéroglyphe signifiant «trône» — plus tard, elle porta parfois un disque solaire flanqué de cornes de vache. Nantie d'innombrables pouvoirs et d'une grande séduction, elle symbolise l'épouse et la mère idéale.

Khnoum

Dieu à tête de bélier aux cornes horizontales, il est souvent représenté en train de façonner des humains sur son tour de potier. Khnoum a émergé de deux cavernes du monde souterrain dans l'océan de Noun. Il symbolise la fertilité, parce qu'on dit que c'est lui qui dirige la moitié des eaux du Nil vers le sud et l'autre moitié vers le nord.

Khonsou

Fils du couple Amon et Mout, Khonsou est un dieu lunaire, souvent représenté avec une tête de faucon surmontée d'un croissant de lune et d'un disque lunaire, mais aussi, parfois, comme un jeune homme avec une mèche de cheveux retombant sur le côté du visage, la tête surmontée d'un croissant de lune et d'un disque lunaire. Il symbolise le rajeunissement et la guérison.

Maât

Maât est la déesse de la vérité et de la justice. L'iconographie la représente sous les traits d'une femme à la tête ceinte d'un bandeau orné d'une plume d'autruche.

Min

Min est un dieu ayant forme humaine, représenté avec un phallus en érection et une couronne surmontée de deux plumes. Dans sa main droite levée, il tient un fléau. Il symbolise la protection, particulièrement en voyage.

Mout

Épouse d'Amon, on l'a d'abord représentée sous la forme d'un vautour, puis, plus tard, sous celle d'une femme. Elle symbolise tous les aspects de la féminité. Cette déesse, son époux Amon et leur fils, Khonsou, constituent la triade thébaine, la famille sacrée de Thèbes.

Neith

Habituellement représentée portant la couronne rouge de la Basse-Égypte, elle évoque l'androgyne primordial en pleine possession de ses polarités féminine et masculine. Elle symbolise l'ouverture de l'être à des possibilités multiples.

Nephthys

Représentée en femme portant sur la tête le hiéroglyphe de son nom, Nephthys est la fille de Nout, la sœur d'Isis et l'épouse de Seth, le dieu du désordre. C'est cependant à Osiris, de qui elle a eu un enfant, Anubis, que va sa loyauté. Lorsque Seth découvrit qui était le père de l'enfant, il assassina Osiris, et Nephthys se joignit à Isis dans sa recherche du corps d'Osiris. Tout comme sa sœur Isis, elle vient en aide aux morts et les protège. Symboliquement, elle assure le passage à un autre plan.

Nout

Déesse du ciel, également représentée comme une femme avec le hiéroglyphe de son nom sur la tête, parfois aussi comme une femme au corps arqué recouvert d'étoiles, elle est la fille de Chou, dieu de l'air et du souffle de la vie et de Tefnout, déesse de l'humidité et de la pluie. Elle symbolise la renaissance.

Osiris

Osiris présidait les dieux qui déterminaient le sort des rois lorsqu'ils mouraient. Il a l'aspect d'un homme momifié portant une haute couronne blanche ornée de deux plumes d'autruche. Selon la mythologie, Osiris fut assassiné par son frère Seth, puis ramené à la vie par l'amour de sa sœur-épouse, Isis — cycle de la destruction, de la mort et de la renaissance qui se répétait symboliquement chaque année lors de la crue annuelle du Nil, le fleuve qui fournissait les éléments indispensables à la vie. Sur le plan symbolique, il représente l'être bon qui se redresse.

Ptah

Dieu des artistes et des artisans, Ptah est représenté comme un homme momifié portant le casque bleu des forgerons et tenant à la main un sceptre à la partie supérieure recourbée ayant la forme d'une tête d'animal. Il symbolise la maîtrise des matières et la réalisation de chefs-d'œuvre.

Re

Également connu sous le nom de Rê-Horakhty («Horus de l'horizon») et d'Atoum (le «Tout»), la substance de laquelle est tirée toute la création, il est représenté comme un dieu au corps humain et à la tête de faucon portant une couronne en forme de disque solaire entouré d'un cobra, ou encore une couronne faite de cornes de bélier et ornée de plumes d'autruche. Toutes ces formes du dieu solaire sont des symboles de la promesse de la résurrection, une réponse au problème de la mortalité humaine. Rê symbolise également le principe de la vérité (le droit) et de la justice équitable.

Sekhmet

Sekhmet revêt l'apparence d'une femme à tête de lion surmontée d'un disque solaire et d'un cobra. Son nom signifie «celle qui est puissante», et en tant que telle, elle incarne les aspects agressifs des déesses féminines.

Selkis

Selkis, dont le nom signifie «celle qui permet à la gorge de respirer», est habituellement représentée comme une femme avec un scorpion sur la tête. Elle protège la naissance royale et le défunt qui voyage dans l'au-delà.

Seth

Seth, représenté par une tête d'animal non identifiable, mais arrondie, aux grandes oreilles aux extrémités carrées et à la queue dressée ressemblant à une flèche, est considéré comme le dieu du désordre, notamment responsable de l'assassinat d'Osiris, son frère. Destructeur donc, mais aussi colérique et stérile, il est le grain de sable qui enraie la mécanique la mieux huilée. Sa force doit être retournée contre lui, il rend alors les armes efficaces et assure la victoire.

Thot

Thot, dieu du savoir et de la sagesse, inventeur de l'écriture et de la science, est le messager du dieu solaire. Représenté sous l'aspect d'un être humain à tête d'ibis ou de singe, il dispense tous les dons et toutes les connaissances. Il symbolise l'intelligence sans limite.

Toueris

Déesse qui protégeait les femmes en couches, elle est représentée avec une tête d'hippopotame, les pattes d'un lion et le dos et la queue d'un aligator. Ses seins lourds et son ventre proéminent indiquent qu'elle est enceinte. Elle symbolise la fécondité et la protection familiale.

Chapitre 9

DOUZE RITUELS ÉGYPTIENS AVEC DES PYRAMIDES

Comme nous l'avons vu dans les chapitres précédents, il est évident que les anciens Égyptiens avaient, grâce aux pyramides, mis au point un appareil de puissance agissant comme un résonateur des ondes émises à la fois par le lieu, mais aussi par la personne — la Grande Pyramide en est d'ailleurs l'exemple parfait. Aussi, ne faut-il donc pas s'étonner que la pyramide soit utilisée dans un certain nombre de rituels visant à cerner et mettre en œuvre son énergie, de façon à atteindre certains objectifs ou concrétiser certaines ambitions ou certains rêves.

La pratique de ces rituels n'exige pas que vous abandonniez ou modifiiez vos croyances ; vous utiliserez certes d'étranges incantations dans lesquelles vous invoquerez des dieux et des déesses, mais cela vise simplement à mettre en branle certaines forces occultes et capturer l'énergie pour l'atteinte de vos buts. En outre, contrairement à d'autres magies (lesquelles s'inspirent toutes, pour ainsi dire, de cette haute magie égyptienne), les rituels avec des pyramides sont sans risque et sans danger car la Grande Pyramide a essentiellement pour but d'accroître et de préserver l'énergie vitale, on n'y retrouve donc aucune « agressivité » ni aucune volonté maligne. D'autre part, la pratique de ces rituels exige aussi peu de matériel et il s'agit essentiellement du même pour chacun d'eux puisque c'est surtout la formule incantatoire qui varie de l'un à l'autre. Voici ce dont vous aurez besoin comme accessoires :

- une pyramide d'une quinzaine de centimètres (que vous construirez selon les indications données au chapitre 3);
- un chandelier et une chandelle blanche;
- une coupe d'eau;
- une coupe de sable fin;
- une feuille de papier et un crayon;
- un merkhet (un pendule que vous suspendrez à l'extrémité d'une baguette).

Une fois tous ces accessoires en votre possession, installez-vous devant une table que vous aurez recouverte d'une nappe blanche (idéalement de lin ou de coton); placez la pyramide au centre, le chandelier et la chandelle à votre gauche, les bols d'eau et de sable à votre droite, la papier et le crayon au centre, juste en-dessous de la pyramide et — enfin — le merket près de la flamme (ces accessoires devront être renouvelés pour chaque nouveau rituel).

Ensuite, avant d'entreprendre le rituel en tant que tel, prenez un bain et détendez-vous une quinzaine de minutes en méditant sur ce que vous vous apprêtez à faire, l'objectif que vous voulez atteindre et la ou les raisons qui vous motivent. Lorsque vous serez bien imprégné de ce que vous allez faire, sortez du bain, séchez-vous et revêtez un vêtement blanc. Ainsi, alors que vous êtes parfaitement détendu, vous pouvez entreprendre le rituel qui vous intéresse.

RITUEL 1 :
LE RITUEL DE BES

pour trouver le (la) partenaire idéal(e)

Un rituel pour connaître le ou la partenaire de votre vie.

> Pratiquez ce rituel un soir de lune ascendante.

Une fois tous les préliminaires exécutés, comme décrit prédemment, et tous vos objets en place dans votre espace de travail, écrivez la formule suivante à l'encre rouge sur la feuille de papier :

« Je me tiens devant toi, Bes
Ô toi, qui peut tant !

Regarde qui je suis,
Reconnais celui (celle) que je suis.

J'accomplis pour toi le Rite ancien,
J'invoque les énergies qui sont les tiennes
Et celles des tiens.

Je me tiens devant toi, Bes,
Ô toi, qui peut tant !
Pour que tu me réunisses à celle (celui)
Qui m'est destiné(e).

Je t'en implore,
Je t'en conjure,
Accède à ma prière.

Qu'il en soit ainsi,
Ici et maintenant. »

Lisez la formule à voix haute, puis pliez le papier en quatre et posez-le sur votre espace de travail, devant la pyramide. Prenez le mekhet, suspendez-le au-dessus du papier et laissez l'énergie gagner l'incantation. Lorsque vous sentirez des fourmillements dans la main, posez le mekhet et placez le papier sous la pyramide. Prenez la coupe d'eau entre vos deux mains, élevez-la au-dessus de votre tête, puis reposez-la à sa place. Trempez votre index droit dans l'eau, puis posez-le au sommet de la pyramide. Concentrez-vous quelques minutes sur votre souhait.

Retirez le papier de sous la pyramide, brûlez-le à la flamme de la chandelle et laissez-le se consumer dans le bol de sable. Une fois qu'il sera réduit en cendres, glissez ces dernières dans une enveloppe blanche et conservez-les à l'abri des regards jusqu'à ce que votre souhait se réalise.

RITUEL 2 :
LE RITUEL D'ATON
pour faciliter une rupture

Vous voulez mettre fin à une relation amoureuse? Voilà un rituel qui vous facilitera la tâche.

> Pratiquez ce rituel un soir de lune descendante.

Une fois tous les préliminaires exécutés, et tous vos objets en place dans votre espace de travail, écrivez la formule suivante à l'encre noire sur la feuille de papier :

« Ô toi, Aton,
Dieu cosmique primordial,
Je me tiens devant toi
Afin que tu me procures aide et soutien.

Regarde qui je suis,
Reconnais celui (celle) que je suis.

J'accomplis pour toi le Rite ancien,
J'invoque les énergies qui sont les tiennes
Et celles des tiens.

Ô toi, Aton,
Aide-moi à me séparer de

(dites le nom de la personne)
Afin que tout se passe
Sans acrimonie et sans rancœur.

Ô toi, Aton,
Dieu cosmique primordial,
Je me tiens devant toi,
Donne-moi aide et soutien.

Qu'il en soit ainsi,
Ici et maintenant. »

Lisez la formule à voix haute, puis pliez le papier en quatre et posez-le sur votre espace de travail, devant la pyramide. Prenez le mekhet, suspendez-le au-dessus du papier et laissez l'énergie gagner l'incantation. Lorsque vous sentirez des fourmillements dans la main, posez le mekhet et placez le papier sous la pyramide. Prenez la coupe d'eau entre vos deux mains, élevez-la au-dessus de votre tête, puis reposez-la à sa place. Trempez votre index droit dans l'eau, puis posez-le au sommet de la pyramide. Concentrez-vous quelques minutes sur votre souhait.

Retirez le papier de sous la pyramide, brûlez-le à la flamme de la chandelle et laissez-le se consumer dans le bol de sable. Une fois qu'il sera réduit en cendres, glissez ces dernières dans une enveloppe blanche et conservez-les à l'abri des regards jusqu'à ce que votre souhait se réalise.

RITUEL 3 :
LE RITUEL D'OSIRIS
pour connaître l'abondance

En pratiquant ce rituel, vous trouverez l'inspiration pour améliorer financièrement votre sort.

> Pratiquez ce rituel un soir de lune ascendante.

Une fois tous les préliminaires exécutés, et tous vos objets en place dans votre espace de travail, écrivez la formule suivante à l'encre jaune sur la feuille de papier :

« Osiris, Osiris, Osiris,
Par trois fois je t'appelle.

Osiris, Osiris, Osiris,
Toi qui préside les dieux,
Toi qui veilles à la renaissance,
Je t'appelle
Pour que tu m'apportes aide et soutien.

Osiris
Regarde qui je suis,
Reconnais celui (celle) que je suis.

J'accomplis pour toi le Rite ancien,
J'invoque les énergies qui sont les tiennes
Et celles des tiens.

Répands sur mon être
Ta accorte protection
Pour que ma demeure présente et future
Profite de la bonne fortune et de l'abondance.

Je t'en implore,
Je t'en conjure,
Accède à ma prière.

Qu'il en soit ainsi,
Ici et maintenant. »

Lisez la formule à voix haute, puis pliez le papier en quatre et posez-le sur votre espace de travail, devant la pyramide. Prenez le mekhet, suspendez-le au-dessus du papier et laissez l'énergie gagner l'incantation. Lorsque vous sentirez des fourmillements dans la main, posez le mekhet et placez le papier sous la pyramide. Prenez la coupe d'eau entre vos deux mains, élevez-la au-dessus de votre tête, puis reposez-la à sa place. Trempez votre index droit dans l'eau, puis posez-le au sommet de la pyramide. Concentrez-vous quelques minutes sur votre souhait.

Retirez le papier de sous la pyramide, brûlez-le à la flamme de la chandelle et laissez-le se consumer dans le bol de sable. Une fois qu'il sera réduit en cendres, glissez ces dernières dans une enveloppe blanche et conservez-les à l'abri des regards jusqu'à ce que votre souhait se réalise.

RITUEL 4 :
LE RITUEL D'ISIAQUE
pour régler un problème difficile

Lorsque vous êtes confronté à un problème qui vous semble insoluble, pratiquez ce rituel et la solution vous apparaîtra dans les jours qui suivent.

> Pratiquez ce rituel un soir de lune ascendante.

Une fois tous les préliminaires exécutés, et tous vos objets en place dans votre espace de travail, écrivez la formule suivante à l'encre verte sur la feuille de papier :

« Ô Isiaque,
Puissante Isiaque,
Bienveillante et salvatrice Isiaque,
Je t'appelle
Pour que tu m'apportes aide et soutien.

Regarde qui je suis,
Reconnais celui (celle) que je suis.

J'accomplis pour toi le Rite ancien,
J'invoque les énergies qui sont les tiennes
Et celles des tiens.

Pour que tu m'apportes la solution
Au problème auquel je suis confronté.

Aide-moi à régler
(*décrivez votre problème*)
Apporte-moi la paix d'esprit,
Rétablis l'harmonie
En moi,
Chez moi.

Je t'en implore,
Je t'en conjure,
Accède à ma prière.

Qu'il en soit ainsi,
Ici et maintenant. »

Lisez la formule à voix haute, puis pliez le papier en quatre et posez-le sur votre espace de travail, devant la pyramide. Prenez le mekhet, suspendez-le au-dessus du papier et laissez l'énergie gagner l'incantation. Lorsque vous sentirez des fourmillements dans la main, posez le mekhet et placez le papier sous la pyramide. Prenez la coupe d'eau entre vos deux mains, élevez-la au-dessus de votre tête, puis reposez-la à sa place. Trempez votre index droit dans l'eau, puis posez-le au sommet de la pyramide. Concentrez-vous quelques minutes sur votre souhait.

Retirez le papier de sous la pyramide, brûlez-le à la flamme de la chandelle et laissez-le se consumer dans le bol de sable. Une fois qu'il sera réduit en cendres, glissez ces dernières dans une enveloppe blanche et conservez-les à l'abri des regards jusqu'à ce que votre souhait se réalise.

RITUEL 5 :
LE RITUEL DE PTAH

pour développer votre créativité

En panne d'inspiration ? Voilà un rituel qui vous aidera.

> Pratiquez ce rituel un soir de pleine lune.

Une fois tous les préliminaires exécutés, et tous vos objets en place dans votre espace de travail, écrivez la formule suivante à l'encre rouge sur la feuille de papier :

« Ô Ptah,
Dieu des artistes et des artisans,
Ô Ptah,
Toi qui symbolises la maîtrise des matières,
Toi qui symbolises la réalisation des chefs-d'œuvre
Ô Ptah,
Je t'appelle
Pour que tu m'apportes aide et soutien.

Regarde qui je suis,
Reconnais celui (celle) que je suis.

J'accomplis pour toi le Rite ancien,
J'invoque les énergies qui sont les tiennes

Et celles des tiens.
Pour que tu me donnes
Inspiration,
Intuition
Et grâce
Dans l'accomplissement de ma tâche.
Je t'en implore,
Je t'en conjure,
Accède à ma prière.

Qu'il en soit ainsi,
Ici et maintenant. »

Lisez la formule à voix haute, puis pliez le papier en quatre et posez-le sur votre espace de travail, devant la pyramide. Prenez le mekhet, suspendez-le au-dessus du papier et laissez l'énergie gagner l'incantation. Lorsque vous sentirez des fourmillements dans la main, posez le mekhet et placez le papier sous la pyramide. Prenez la coupe d'eau entre vos deux mains, élevez-la au-dessus de votre tête, puis reposez-la à sa place. Trempez votre index droit dans l'eau, puis posez-le au sommet de la pyramide. Concentrez-vous quelques minutes sur votre souhait.

Retirez le papier de sous la pyramide, brûlez-le à la flamme de la chandelle et laissez-le se consumer dans le bol de sable. Une fois qu'il sera réduit en cendres, glissez ces dernières dans une enveloppe blanche et

conservez-les à l'abri des regards jusqu'à ce que votre souhait se réalise.

RITUEL 6 :
LE RITUEL DE KHONSOU —
pour appeler la guérison

Lorsque vous êtes confronté à la maladie ou à un malaise quelconque, ce rituel pourra vous aider à guérir ou à vous soulager.

> Pratiquez ce rituel un soir de pleine lune.

Une fois tous les préliminaires exécutés, et tous vos objets en place dans votre espace de travail, écrivez la formule suivante à l'encre noire sur la feuille de papier :

« Ô Khonsou,
Fils de Amon et de Mout,
Ô Khonsou,
Dieu lunaire
Et dieu de la guérison,
Je t'appelle
Pour que tu m'apportes aide et soutien.

Regarde qui je suis,
Reconnais celui (celle) que je suis.

J'accomplis pour toi le Rite ancien,
J'invoque les énergies qui sont les tiennes

Et celles des tiens.
Pour que tu me soulages de mes maux,
Pour que tu m'apportes la guérison,
Pour que ta force devienne mienne
Et que ton énergie m'inspire.

Je t'en implore,
Je t'en conjure,
Accède à ma prière.

Qu'il en soit ainsi,
Ici et maintenant. »

Lisez la formule à voix haute, puis pliez le papier en quatre et posez-le sur votre espace de travail, devant la pyramide. Prenez le mekhet, suspendez-le au-dessus du papier et laissez l'énergie gagner l'incantation. Lorsque vous sentirez des fourmillements dans la main, posez le mekhet et placez le papier sous la pyramide. Prenez la coupe d'eau entre vos deux mains, élevez-la au-dessus de votre tête, puis reposez-la à sa place. Trempez votre index droit dans l'eau, puis posez-le au sommet de la pyramide. Concentrez-vous quelques minutes sur votre souhait.

Retirez le papier de sous la pyramide, brûlez-le à la flamme de la chandelle et laissez-le se consumer dans le bol de sable. Une fois qu'il sera réduit en cendres, glissez ces dernières dans une enveloppe blanche et

conservez-les à l'abri des regards jusqu'à ce que votre souhait se réalise.

RITUEL 7 :
LE RITUEL D'ANUBIS
pour acquérir des pouvoirs occultes

Pratiquez ce rituel pour accroître vos pouvoirs paranormaux.

> Pratiquez ce rituel un soir de lune ascendante.

Une fois tous les préliminaires exécutés, et tous vos objets en place dans votre espace de travail, écrivez la formule suivante à l'encre noire sur la feuille de papier :

« Ô Anubis,
Toi qui sait juger les êtres,
Toi qui es l'entrée de l'au-delà,
Toi qui connaîs les secrets des secrets,
Je t'appelle
Pour que tu m'apportes cette science occulte.

Regarde qui je suis,
Reconnais celui (celle) que je suis.

J'accomplis pour toi le Rite ancien,
J'invoque les énergies qui sont les tiennes
Et celles des tiens.
Pour que tu me donnes

Intelligence et entendement,
Intuition et clairvoyance
Afin que je puisse aussi percer
Les secrets des secrets.

Je t'en implore,
Je t'en conjure,
Accède à ma prière.

Qu'il en soit ainsi,
Ici et maintenant. »

Lisez la formule à voix haute, puis pliez le papier en quatre et posez-le sur votre espace de travail, devant la pyramide. Prenez le mekhet, suspendez-le au-dessus du papier et laissez l'énergie gagner l'incantation. Lorsque vous sentirez des fourmillements dans la main, posez le mekhet et placez le papier sous la pyramide. Prenez la coupe d'eau entre vos deux mains, élevez-la au-dessus de votre tête, puis reposez-la à sa place. Trempez votre index droit dans l'eau, puis posez-le au sommet de la pyramide. Concentrez-vous quelques minutes sur votre souhait.

Retirez le papier de sous la pyramide, brûlez-le à la flamme de la chandelle et laissez-le se consumer dans le bol de sable. Une fois qu'il sera réduit en cendres, glissez ces dernières dans une enveloppe blanche et conservez-les à l'abri des regards jusqu'à ce que votre souhait se réalise.

RITUEL 8 :
LE RITUEL DE SEKHMET
pour vous protéger des mauvaises influences

Mauvaises influences, mauvais esprits, mauvaises vibrations ? Voilà un rituel qui vous en libérera.

> Pratiquez ce rituel un soir de lune descendante.

Une fois tous les préliminaires exécutés, et tous vos objets en place dans votre espace de travail, écrivez la formule suivante à l'encre noire sur la feuille de papier :

« Ô Sekhmet,
Puissante déesse
Et déesse de protection,
Toi qui ne crains rien,
Toi qui affronte sans inquiétude,
Je t'appelle
Pour que tu me communiques ta force
De vaincre ces influences maudites qui m'assaillent.

Regarde qui je suis,
Reconnais celui (celle) que je suis.

J'accomplis pour toi le Rite ancien,
J'invoque les énergies qui sont les tiennes

Et celles des tiens.
Pour que tu me donnes
La force de résister aux assauts maléfiques,
Aux attaques malicieuses
Et aux influences néfastes.

Je t'en implore,
Je t'en conjure,
Accède à ma prière.

Qu'il en soit ainsi,
Ici et maintenant. »

Lisez la formule à voix haute, puis pliez le papier en quatre et posez-le sur votre espace de travail, devant la pyramide. Prenez le mekhet, suspendez-le au-dessus du papier et laissez l'énergie gagner l'incantation. Lorsque vous sentirez des fourmillements dans la main, posez le mekhet et placez le papier sous la pyramide. Prenez la coupe d'eau entre vos deux mains, élevez-la au-dessus de votre tête, puis reposez-la à sa place. Trempez votre index droit dans l'eau, puis posez-le au sommet de la pyramide. Concentrez-vous quelques minutes sur votre souhait.

Retirez le papier de sous la pyramide, brûlez-le à la flamme de la chandelle et laissez-le se consumer dans le bol de sable. Une fois qu'il sera réduit en cendres, glissez ces dernières dans une enveloppe blanche et

conservez-les à l'abri des regards jusqu'à ce que votre souhait se réalise.

RITUEL 9 :
LE RITUEL DE HEKET
pour atteindre des plans supérieurs

Vous êtes intéressé par les grandes questions de la vie, par les questions spirituelles? Voilà un rituel qui vous soutiendra dans votre quête.

> Pratiquez ce rituel un soir de lune ascendante.

Une fois tous les préliminaires exécutés, et tous vos objets en place dans votre espace de travail, écrivez la formule suivante à l'encre bleue sur la feuille de papier :

«Ô Heket,
Mère royale
Dans le sanctuaire de Kous,
Ô Heket,
Toi, toujours vivante
Dans le royaume des Morts,
Toi, garante de la renaissance,
Je t'appelle
Pour que tu m'insuffles
L'énergie d'une vie nouvelle.

Regarde qui je suis,
Reconnais celui (celle) que je suis.

J'accomplis pour toi le Rite ancien,
J'invoque les énergies qui sont les tiennes
Et celles des tiens.
Pour que tu me donnes
L'opportunité de renaître,
De redécouvrir la vie de la vie.

Je t'en implore,
Je t'en conjure,
Accède à ma prière.

Qu'il en soit ainsi,
Ici et maintenant. »

Lisez la formule à voix haute, puis pliez le papier en quatre et posez-le sur votre espace de travail, devant la pyramide. Prenez le mekhet, suspendez-le au-dessus du papier et laissez l'énergie gagner l'incantation. Lorsque vous sentirez des fourmillements dans la main, posez le mekhet et placez le papier sous la pyramide. Prenez la coupe d'eau entre vos deux mains, élevez-la au-dessus de votre tête, puis reposez-la à sa place. Trempez votre index droit dans l'eau, puis posez-le au sommet de la pyramide. Concentrez-vous quelques minutes sur votre souhait.

Retirez le papier de sous la pyramide, brûlez-le à la flamme de la chandelle et laissez-le se consumer dans le bol de sable. Une fois qu'il sera réduit en cendres, glissez ces dernières dans une enveloppe blanche et conservez-les à l'abri des regards jusqu'à ce que votre souhait se réalise.

RITUEL 10 :
LE RITUEL D'ISIS

pour séduire quelqu'un

Un rituel qui vous permettra de séduire n'importe qui.

> Pratiquez ce rituel un soir de lune ascendante.

Une fois tous les préliminaires exécutés, et tous vos objets en place dans votre espace de travail, écrivez la formule suivante à l'encre rouge sur la feuille de papier :

«Ô Isis,
Toi qui est animée
D'innombrables et puissants pouvoirs,
Je t'appelle
Pour que tu me donnes
Beauté, charme et élégance,
Pour que tu m'apportes
Le pouvoir de la séduction.

Regarde qui je suis,
Reconnais celui (celle) que je suis.

J'accomplis pour toi le Rite ancien,
J'invoque les énergies qui sont les tiennes

Et celles des tiens.
Pour que tu accèdes à ma demande.

Je t'en implore,
Je t'en conjure,
Oui, accède à ma prière.

Qu'il en soit ainsi,
Ici et maintenant. »

Lisez la formule à voix haute, puis pliez le papier en quatre et posez-le sur votre espace de travail, devant la pyramide. Prenez le mekhet, suspendez-le au-dessus du papier et laissez l'énergie gagner l'incantation. Lorsque vous sentirez des fourmillements dans la main, posez le mekhet et placez le papier sous la pyramide. Prenez la coupe d'eau entre vos deux mains, élevez-la au-dessus de votre tête, puis reposez-la à sa place. Trempez votre index droit dans l'eau, puis posez-le au sommet de la pyramide. Concentrez-vous quelques minutes sur votre souhait.

Retirez le papier de sous la pyramide, brûlez-le à la flamme de la chandelle et laissez-le se consumer dans le bol de sable. Une fois qu'il sera réduit en cendres, glissez ces dernières dans une enveloppe blanche et conservez-les à l'abri des regards jusqu'à ce que votre souhait se réalise.

RITUEL 11 :
LE RITUEL D'AMON

pour entrevoir le futur

Vous voulez avoir un aperçu de ce que l'avenir vous réserve ? Voilà un rituel qui devrait vous convenir.

> Pratiquez ce rituel un soir de pleine lune.

Une fois tous les préliminaires exécutés, et tous vos objets en place dans votre espace de travail, écrivez la formule suivante à l'encre rouge sur la feuille de papier :

«Amon, Amon, Amon,
Dieu du labyrinthe de Karnak,
Amon, Amon, Amon,
Dieu qui connaît tous les chemins,
Ceux du passé,
Ceux du présent
Et ceux du futur
Dans le royaume des Morts,
Fais-moi entrevoir
Ce qui m'attend, demain.

Regarde qui je suis,
Reconnais celui (celle) que je suis.

J'accomplis pour toi le Rite ancien
J'invoque les énergies qui sont les tiennes
Et celles des tiens.
Pour que tu me donnes
L'occasion de distinguer
Les lueurs de demain.

Je t'en implore,
Je t'en conjure
Accède à ma prière.

Qu'il en soit ainsi,
Ici et maintenant. »

Lisez la formule à voix haute, puis pliez le papier en quatre et posez-le sur votre espace de travail, devant la pyramide. Prenez le mekhet, suspendez-le au-dessus du papier et laissez l'énergie gagner l'incantation. Lorsque vous sentirez des fourmillements dans la main, posez le mekhet et placez le papier sous la pyramide. Prenez la coupe d'eau entre vos deux mains, élevez-la au-dessus de votre tête, puis reposez-la à sa place. Trempez votre index droit dans l'eau, puis posez-le au sommet de la pyramide. Concentrez-vous quelques minutes sur votre souhait.

Retirez le papier de sous la pyramide, brûlez-le à la flamme de la chandelle et laissez-le se consumer dans le bol de sable. Une fois qu'il sera réduit en cendres, glissez ces dernières dans une enveloppe blanche et conservez-les à l'abri des regards jusqu'à ce que votre souhait se réalise.

RITUEL 12 :
LE RITUEL DE MAÂT

pour connaître la vérité

Vous n'êtes pas certain de ce que l'on vous dit? Des interrogations subsistent? Le rituel de Maât vous permettra de percer la vérité.

> Pratiquez ce rituel un soir de lune ascendante.

Une fois tous les préliminaires exécutés, et tous vos objets en place dans votre espace de travail, écrivez la formule suivante à l'encre rouge sur la feuille de papier :

«Ô Maât,
Déesse de la vérité et de la justice,
Toi qui sais tout,
Même ce que l'on te cache,
Je t'appelle
Pour que tu m'apportes aide et soutien
Dans ma quête de la Vérité.

Regarde qui je suis,
Reconnais celui (celle) que je suis.

J'accomplis pour toi le Rite ancien,
J'invoque les énergies qui sont les tiennes

Et celles des tiens.
Pour que tu me donnes
La force de distinguer le vrai du faux,
La vérité du mensonge.

Je t'en implore,
Je t'en conjure,
Accède à ma prière.

Qu'il en soit ainsi,
Ici et maintenant. »

Lisez la formule à voix haute, puis pliez le papier en quatre et posez-le sur votre espace de travail, devant la pyramide. Prenez le mekhet, suspendez-le au-dessus du papier et laissez l'énergie gagner l'incantation. Lorsque vous sentirez des fourmillements dans la main, posez le mekhet et placez le papier sous la pyramide. Prenez la coupe d'eau entre vos deux mains, élevez-la au-dessus de votre tête, puis reposez-la à sa place. Trempez votre index droit dans l'eau, puis posez-le au sommet de la pyramide. Concentrez-vous quelques minutes sur votre souhait.

Retirez le papier de sous la pyramide, brûlez-le à la flamme de la chandelle et laissez-le se consumer dans le bol de sable. Une fois qu'il sera réduit en cendres, glissez ces dernières dans une enveloppe blanche et conservez-les à l'abri des regards jusqu'à ce que votre souhait se réalise.

TABLE DES MATIÈRES

NOTES PERSONNELLES :

NOTES PERSONNELLES : ....
....
....
....
....
....
....
....
....
....
....
....
....
....
....
....
....
....
....
....
....
....
....
....

NOTES PERSONNELLES : ....

....

....

....

....

....

....

....

....

....

....

....

....

....

....

....

....

....

....

....

....

....

....

....

....

....

....

NOTES PERSONNELLES :

NOTES PERSONNELLES : ....

....

....

....

....

....

....

....

....

....

....

....

....

....

....

....

....

....

....

....

....

....

....

NOTES PERSONNELLES :